富爸爸财务自由之路

The CASHFLOW Quadrant

Rich Dad's Guide to Financial Freedom

[美] 罗伯特·T·清崎　莎伦·L·莱希特　著
龙　秀　译
王丽洁　审校

世界图书出版公司
北京·广州·上海·西安

图书在版编目（CIP）数据

富爸爸财务自由之路/［美］清崎，［美］莱希特著；龙秀译．－北京：世界图书出版公司北京公司，2000.8（世图财商系列）

ISBN 7－5062－4675－9

Ⅰ.富…　Ⅱ.①罗… ②莱… ③龙…　Ⅲ.财务管理－研究　Ⅳ.F063.4

中国版本图书馆 CIP 数据核字（2000）第 42225 号

The CASHFLOW Quadrant：Rich Dad's Guide to Financial Freedom
by Robert T. Kiyosaki and Sharon L. Lechter
Authorized translation by Goldpress, Inc. from English language edition published by TechPress Inc.

富爸爸财务自由之路

作　　者：［美］罗伯特·T·清崎　莎伦·L·莱希特
译　　者：龙　秀
审　　校：王丽洁
责任编辑：陈　非　罗　琳
装帧设计：董　利

出　　版：世界图书出版公司北京公司
发　　行：世界图书出版公司北京公司
（北京朝内大街 137 号　邮编 100010　电话 010－64038350）
销　　售：各地新华书店和外文书店
排　　版：北京中文天地文化艺术有限公司
印　　刷：北京中西印刷厂

开　　本：711×1245 毫米　1/24　印张：12
字　　数：210 千字
版　　次：2000 年 10 月第 1 版　2001 年 2 月第 5 次印刷
版权登记：图字 01－2000－0998

ISBN 7－5062－4675－9/F·85　　定价：23.80 元

世图财商系列之
《“富爸爸”丛书》策划组

雷玉清　邹晓东

汤小明　李兴华

马清扬　陈　非

朱　鹰

富爸爸曾经说：“没有财务自由你就无法真正获得自由。”他还说：“自由是有代价的。”

本书谨献给那些愿意付出这个代价的人。

目　录

序 言

您位于哪个象限？这个象限适合您吗？

在财务方面，您自由吗？如果您在生活中时常遇到财务方面的问题并且因困惑而无法做出必要的选择，那么您将发现这本书正是为您而写的；如果您想控制您今天的所作所为，以便改变您未来的财富命运，这本书将有助于您设计出具体的行动方案。下面请看一幅典型的现金流象限图：

象限图中每个字母所代表的含义：

E 代表雇员
S 代表自由职业者
B 代表企业所有人
I 代表投资者

我们每个人都至少位于现金流象限图四个象限中的一个，我们所处的位置由我们的现金来源决定。我们中很多人靠薪水生活，属于雇员，而另外一些人则是自由职业者。雇员和自由职业者都位于现金流象限的左边，那些从自己拥有的企业或投资中获得现金流的人则位于现金流象限的右侧。

本书描述了商业世界中的四种不同类型的人：他们是谁？处于不同象限的人具有哪些特征？本书将回答这些问题并帮助您确定您在象限中所处的区域。当您决定选择自己的通向财务自由的道路时，这本书还会帮助您制定一个计划，使您在未来能够成为您想成为的人。当然，财务自由在四个象限中都能够实现，只不过“B”或“I”的技能将使您更快地实现您的财务自由。从这个意义上说，每一个成功的“E”都应该努力使自己成为一个成功的“I”。

长大后，你想干什么？

这本书在很多方面可以说是我的《富爸爸，穷爸爸》一书的续集。《富爸爸，穷爸爸》一书讲述了我的两个爸爸给我的关于金钱问题和生活选择的不同建议。这两个爸爸，一位是我的亲生父亲，另一位则是我最好的朋友的父亲；一位受过良好的教育，另一位则在高中时期就辍了学；一位是一贫如洗，另一位则腰缠万贯。

每当有人问我“你长大了想干什么”时，我那有学问但贫穷的爸爸总是提醒道：“上学，考高分，然后找一份稳定的好工作。”

他向我建议的实际上是下面这样一种生活道路。

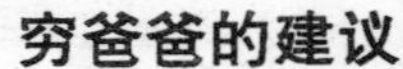

穷爸爸建议我将来做一名高薪雇员“E”，或者是一个高薪自由职业者“S”，例如医生、律师或者会计师。我的穷爸爸非常关心稳定的薪金、各种福利和职业保障，这就是为什么他成为一名高薪政府官员——夏威夷教育部总督学的原因。相反，我的富爸爸虽然没有受过太多专业教育，却提出了完全不同的看法：“上学，毕业，开办企业，做一名成功的投资者。”

他在提倡下面这样一种生活道路。

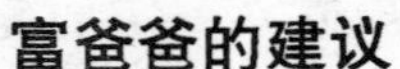

《富爸爸，穷爸爸》一书描述了我按照富爸爸的建议所经历的智力、情感和学习的过程。

这本书为谁而写

这本书是为那些想改变自身所处象限的人们而写的，它尤其适合于那些现在是“E”或“S”而正打算成为“B”或“I”的人们。这本书也是为那些准备抛开职业保障并开始寻求财务保障的人们而写的。尽管这个过程并不是一次轻松的生活之旅，但是我相信旅途尽头的奖品值得人们选择这次旅行，因为这将是实现财务自由梦想的一次特别旅行。

在我 12 岁的时候，富爸爸曾给我讲过一个简单的故事，就是这个故事一直引导着我获得了巨额财富并最终取得了财务上的自由。这个故事充分体现了富爸爸对现金流象限左边的“E”和“S”与右边的“B”和“I”之间的不同之处所持有的独特看法。故事是这样的：

“从前有一个奇异的小村庄，村庄里除了雨水没有任何水源，除此之外，这里可是人们生活的好地方。为了根本性地解决这个问题，村里的长者决定对外签订一份送水合同，以便每天都能有人把水送到村子里。有两个人愿意接受这份工作，于是村里的长者把这份合同同时给了这两个人，因为他知道，一定的竞争将既有益于保持价格低廉，又能确保水的供应，必要时还可以互相补充。

得到合同的两个人中有一个叫艾德，他立刻行动了起来，他买了两只镀锌的大号钢桶，每日奔波于 1 里以外的湖泊和村庄之间，用他的两只桶从湖中打水并运回村庄，再把打来的水倒在由村民们修建的一个结实的大蓄水池中。每天早晨他都必须起得比其他村民早，以便当村民需要用水时，蓄水池中已有足够的水供他们使用。由于起早贪黑地工作，艾德很快就开始赚到了钱。尽管这是一项相当艰苦的工作，但是艾德很高兴，因为他能不断地赚钱，并且他对能够拥有两份专营合同中的一份而感到满意。

另外一个获得合同的人叫比尔，然而令人奇怪的是自从签订合同后比尔就消失了，几个月来，人们一直没有看见过比尔。这点更令艾德兴奋不已，由于没人与他竞争，他赚到了所有的水钱。

比尔干什么去了呢？原来比尔没有像艾德那样也去买两只桶，相反，他做了一份详细的商业计划，并凭借这份计划书找到了四位投资者，和他一起开了一家公司，并雇用了一位职业经理。6个月后，比尔带着一个施工队和一笔投资回到了村庄。花了整整一年的时间，比尔的施工队修建了一条从村庄通往湖泊的大容量的不锈钢管道。

在隆重的贯通典礼上，比尔宣布他的水比艾德的水更干净，因为比尔知道有许多人报怨艾德的水中有灰尘。比尔还宣称，他能够每天24小时，一星期7天不间断地为村民提供用水，而艾德却只能在工作日里送水，因为他在周末同样需要休息。同时比尔还宣布，对这种质量更高，供应更为可靠的水，他收取的价格比艾德的价格低75%。于是村民们欢呼雀跃，奔走相告，并立刻要求从比尔的管道上接水龙头。

为了与比尔竞争，艾德也立刻将他的水价降低了75%，并且又买了两个桶，开始一次运送四桶水，为了减少灰尘，他还给每个桶都加上了盖子。为了提供更好的服务，他雇用他的两个儿子为他帮忙，以便通过倒休在夜间和周末也能够工作。当他的儿子们要离开村庄去上学时，他深情地对他们说：

‘快些回来，因为有一天这份工作将属于你们。’

由于某种原因，他的儿子们上完学后没再回来。艾德不得已雇用了帮工，可又遇到了令他头痛的工会问题。工会要求他付更高的工资，提供更好的福利，并要求减轻劳动强度，允许工会成员每次只运送一桶水。

此时，比尔却在思考：如果这个村庄需要水，其他有类似环境的村庄一定也需要水。于是他重新制定了他的商业计划，开始向全国甚至全世界的村庄推销他的快速、大容量、低成本并且卫生的送水系统。每送出一桶水他只赚1便士，但是每天他能送几十万桶水。无论他是否工作，几十万的人都要消费这几十万桶的水，而所有的这些钱便都流入了比尔的银行账户中。显然，比尔不但开发了使水流向村庄的管道，而且还开发了一个使钱流向自己的钱包的管道。

从此以后，比尔幸福地生活着，而艾德在他的余生里仍拼命地工作，最终还是陷在了“永久”的财务问题中。故事就这样结束了。”

多年来，比尔和艾德的故事一直指引着我，每当我要做出生活决策时，这个故事都能给我以帮助。我时常问自己：

“我究竟是在修管道还是在运水?”

“我只是在拼命地工作还是在聪明地工作?”

正是因为对这些问题的不断地提出和回答使我最终获得了财务自由。

这就是本书所要讲述的内容，它将告诉你如何成为“B”和“I”。它适合于那些已经厌烦了“运水”，而希望修建一条能够让现金流入自己钱袋而不是流出自己钱袋的管道的人们。

本书分为三部分

本书第一部分描述了分别处于四个象限的人们之间的重要差别。它说明了为什么特定的人注定落在某些特定的象限内，他们通常原地不动却认识不到这一点。这一部分还将帮助您识别您现在处于哪个象限，以及预期您在 5 年后可能处在的位置。

第二部分是讲述如何进行个人改变，并对您必须成为“谁”而不是您必须做什么进行阐述。

第三部分告诉您迈向现金流象限图右侧的 7 个步骤。我将与您分享富爸爸关于成为一名成功的“B”和“I”所需要的技能的秘诀，这些技能将帮助您铺设实现财务自由的道路。

在这本书中，我仍然强调财商的重要性。如果您想位于象限的右侧，即“B”和“I”那边，就需要您比位于左边即“E”和“S”那边时更加精明。

要想成为“B”或“I”，您必须能够控制您的现金流的流向。本书是为那些想让他们的生活发生改变的人们而写的，也是为那些想从工作安全的想法中转移出来，并开始构建他们自己的财富管道以获得财务上的自由的人们而写的。

此刻我们正处于信息时代的开端，这个时代将提供给我们比以往更多的机会，只有那些具有“B”和“I”技能的人能够识别并抓住这些机会。此外一个人要想在信息时代获得成功，需要同时具备来自四个象限的能力和信息，遗憾的是，我们的学校教育大多仍处于工业时代，仍然仅仅在教育学生们为拥有象限的左边位置做好准备。

如果您正在寻找迈向信息时代的新答案，那么这本书将会很适合您，它将在您通向信息时代的旅途中助您一臂之力。应该强调的是本书并未囊括所有答案，但却是拥有深刻的指导性的个人见解，这些见解正是在我从现金流象限中的“E”和“S”转变为“B”和“I”的亲身经历中获得的。

如果现在您想开始您的通往财务自由的旅程，或者已经处在这样的过程中，那么这本书正适合于您。

第一部分

现金流象限

第一章

“为什么不找一份工作?”

1985 年，我和我太太沦落到无家可归的境地，我们失业了，储蓄中已没剩下多少钱，信用卡也已经用完了。我们住在一辆棕色的旧丰田车里，把斜椅当成床。一星期后，仿佛严厉的现实开始趋于平淡，我们渐渐地不再去考虑我们是谁，我们在做什么，我们要往哪里去这些现实问题。

这种无家可归的情况又持续了两个星期。当一位朋友看到我们令人绝望的财务状况时，向我们提供了一间地下室，这以后我们在那儿住了 9 个月。

大多数情况下，我妻子和我在表面上看起来都很正常，我们对我们的状况保持平静。当朋友们和家人获知我们的困境时，第一个问题总是问：“为什么你们不再去找一份工作?”

起初，我们试图解释，但是后来我们发现，大多数时候我们无法讲清我们的理由。因为对于一个很看重工作的人来说，你很难解释清楚为什么你没有工作。

有时，我们也会做一些临时性的工作，随便挣几个美元回来，这样的工作仅能提供我们所需要的食物和汽油，但在当时这额外的几美元收入是支持我们为自己奇特的目标奋斗的惟一能源。我必须承认，当我陷入深深的个人怀疑时，一个安全的有保障的付薪工作是极有吸引力的，但是由于有保障的工作并不是我们所追寻的东西，我们便只有坚持在财务深渊的边缘上继续艰难度日。

1985 年既是我们生活中最糟糕的一年，也是最漫长的一年
很明显任何认为钱不重要的人都不能长时期地没有钱，我太太
我经常发生争吵，恐惧、对生活前景的不确定和饥饿削弱了人
的情感防线，并且使我们通常总是和最爱我们的人争吵。然而
爱又使我们两人连在一起，我们之间的情感由于艰苦的生活而
得更加深厚。我们知道我们要去哪里，只是不知道我们是否会
达那里。

事实上我们知道我们完全能够找到一份安全、可靠并且薪
很高的工作，我们两人都是有良好的工作技能和可靠的职业道
的大学毕业生，但是我们知道我们想要的并不是一份稳定的
作，我们追寻的是财务上的自由。

到了 1989 年，我们成了百万富翁。虽然在某些人眼中，我
已经在财务上获得了成功，但是我们仍然没有实现我们的梦
——真正的财务上的自由，直到 1994 年这个梦想才最终得以
现。从那以后，我们可以不用再为我们的余生而工作，我们拥
的稳定的现金流已经足以应付任何预见到的或者没有预见到的
务困难，我们两人在财务上自由了。

这年，我太太 37 岁，我 47 岁。

去挣钱却不用投钱

我用无家可归和一无所有的故事来开始这本书，是因为我
常听人们说："要挣钱，就要先投钱。"

我不完全同意这种观点。从 1985 年的无家可归，到 1989
的富裕生活，再到 1994 年的财务自由，我没有投什么钱。当我
起步时，我们根本没有钱，并且负债累累。

挣钱也不需要有多么高层次的教育背景。我有一个大学
位，但是诚实地说，获得财务自由与我在大学里学到的东西没
多少关系，我学习过多年的微积分、三角几何、化学、物理、
语和英国文学等等，但天知道这些知识有很多我都已不记得了。

许多成功人士在获得大学学位前就离开了学校。这些人中

通用电气的创始人托马斯·爱迪生；福特汽车公司的创始人亨利·福特；微软的创始人比尔·盖茨；CNN的创始人泰德·特纳；戴尔计算机公司的创始人米歇尔·戴尔；苹果电脑的创始人斯蒂芙·吉布斯；还有保罗的创始人拉尔夫·劳伦。大学教育对于获得传统职业的确十分重要，但是对于人们如何创造巨额财富却并不重要。托马斯·爱迪生等人开创了自己的成功事业，这也正是我和我太太所追求的。

挣钱需要什么？

人们经常问我：“如果挣钱不需要投钱，而且学校也没有教给你如何实现财务自由，那么挣钱需要什么呢?”

我的回答是：挣钱需要一个梦想，一系列决定，快速学习的决心以及正确使用你天赋的能力和辨别你的收入来自现金流象限哪一部分的能力。

什么是现金流象限？

下面这个图就是现金流象限。

象限图中每个字母所代表的含义：

E 代表雇员
S 代表自由职业者
B 代表企业所有人
I 代表投资者

您的收入来自哪个象限？

现金流象限代表收入或金钱产生的不同途径。例如，一位雇员通过拥有一份工作为另外一个人或一家公司工作而赚到钱；自由职业者通过为自己工作而赚到钱；企业主拥有能产生钱的企业，而投资者则从他们的各种投资中获得钱——换句话说，就是用钱产生出更多的钱。

不同的挣钱方法源于不同的思维模式、不同的技术技能、不同的教育背景、以及不同的性格类型。由于以上这些差别，不同的人被吸引到不同的象限中。

虽然钱是完全相同的，但是挣钱的途径却可以截然不同。如果你要为每一个象限寻找一个不同的标志，你首先得问自己"你的收入主要来自于哪一个象限呢?"

每一个象限都是不同的，从不同的象限中创造收入需要不同的技能和不同的个性，从一个象限转变到另一个象限就好比是在上午打高尔夫球，而在晚上跳芭蕾舞。

你能从某个象限中挣到钱

我们中大部分人都具有从四个象限中挣到钱的潜力。学校教育并不一定能帮助你我选择从哪个象限中挣得我们的主要收入，这种选择最终还是取决于我们是谁，即我们的基本价值观、优势、弱势和兴趣所在。正是这些关键的不同之处吸引我们进入或者迫使我们离开某个象限。

然而，不论我们从事何种专业，我们都可以选择在四个象限中工作。例如，一位医生可以选择做一名雇员"E"来挣钱。例如他可以加入一家大医院也可以在公共医疗服务系统中为政府工作，或者做一名军医，或者加入一家需要医生的保险公司。

这位医生还可以选择成为一名自由职业者"S"，他可以开办一家私人诊所，成立一个办公室，雇佣员工并建立一份私人客户名单。

这位医生还可能决定成为一名企业主“B”，他可以拥有一家诊所或实验室，并雇佣其他医生。这位医生可能会雇一名商业经理去经营这个机构，在这种情况下，这位医生将拥有企业，但不必在该企业中工作。该医生也可能会拥有一家与医学无关的企业，并同时在别的某个地方行医，在这种情况下，这名医生将同时做为“E”和“B”挣钱。

作为“I”，这位医生会向别人的企业投资或者是在股票市场、债券市场和不动产市场等金融市场上投资挣钱。

重要的是“收入来自于……”，这不在于我们做什么，而在于我们如何创造收入。

创造收入的不同途径

正是我们的基本价值观、优势、弱势和兴趣的内在差别，而不是其他因素，影响着我们从某种象限中创造我们的收入。一些人喜欢当雇员，而另一些人则厌恶做雇员；一些人喜欢拥有自己的公司，但不想亲自经营它们；另一些人喜欢拥有公司，也喜欢经营它们；一些人喜欢投资，而另一些人仅仅看到损失金钱的风险而敬而远之。我们大多数人都具有每一种性格的一些特征，要在四个象限中获得成功通常意味着人们的某些核心价值观将有所改变。

在四个象限中，你可能富有，也可能贫穷

应该提醒你的是：在这四个象限中你能够变得很富有，也可能变得很贫穷。在每个象限中都有人赚到几百万美元，也有人濒临破产。处在某一个或另一个象限中并不能确保你在财务上获得成功。

不是所有的象限都一样

通过对每一个象限的不同特征的了解，你将对哪一个象限或者哪些象限最适合你有一个更好的认识。

例如，我选择主要在“B”和“I”象限内工作的原因之一就是税收上的好处。对于大多数在象限左边工作的人们来说，几乎没有什么合法的避税途径，然而，在象限的右边却存在着大量的合法的避税办法。通过在“B”和“I”象限挣钱，我不但能够快速挣钱，让钱长久地为我服务，而且不必损失一大笔钱去交税。

挣钱的不同途径

当人们问我太太和我为什么会无家可归时，我告诉他们这是因为我的富爸爸已经告诉我应该如何认识钱。对于我来说，钱很重要，但是我却不想花费我的一生去为钱工作，这就是为什么我不想找一份工作的原因。我们想成为负责任的公民，但我们希望能够让钱为我们工作，而不是我们为钱操劳一生。

这就是本书重要的原因，它区分出金钱产生的不同途径，即除了靠体力劳动挣钱外，还有其他一些更有效的挣钱方法。

不同的父亲，不同的金钱观

我的有学问的爸爸坚信，喜欢钱是一种罪恶，过分地赢利意味着你很贪婪。当报纸上刊登出他挣多少钱时，他感到非常困窘，因为他认为与那些为他工作的学校教师相比，他的工资太高了。他是一个善良、诚实、勤奋工作的好人，他努力捍卫自己的观点：钱对于他的生活并不重要。

我那很有学问，但很贫穷的爸爸总是说：

“我对钱不感兴趣。”

“我永远也不会富有。”

“我支付不起。”

“投资有风险。”

“钱不是一切。”

钱可以维持生计

我的富爸爸持有不同的观点。他认为，花费一生为钱工作是愚蠢的，但认为钱不重要也同样是愚蠢的。富爸爸相信生活本身比钱更重要，但是钱对于维持生计也是重要的。他经常说：“你一天中仅有这么多个小时，你只能在这个时间限度内努力地工作，那么为什么要为钱而拼命工作呢？应该学会让钱和别人为你工作，这样你就能够自由地去做其他重要的事情。”

对于我的富爸爸，下面这些才是最重要的：

1. 有时间教育他的孩子。
2. 有钱捐赠给他所支持的慈善机构和慈善计划。
3. 为社区创造就业机会和金融稳定。
4. 有时间和金钱照顾自己的健康。
5. 能够与家人周游世界。

“这些事情要花钱，”富爸爸说，“这就是为什么钱对我如此重要的原因，但是我不想花费一生为钱工作。”

选择象限

当我们无家可归时，我妻子和我仍选择在“B”和“I”象限中工作的原因之一就是，我接受过很多这方面的培训和教育。由于富爸爸的引导，我认识到每一个象限的不同的财务优势和职业优势，而对于我而言，象限的右边，即“B”和“I”象限，能提供最好的实现财务成功和财务自由的机会。

而且，在我 37 岁那年，我已经历了所有这四个象限中的成功与失败。这些经历使我对自己的性格、喜好、厌恶、优点和弱点有了一定的了解，我知道我最适合哪个象限。

父母就是老师

当我还是一个小男孩时，我的富爸爸就经常提到现金流象限，他总是给我解释在左边成功的人和在右边成功的人之间的差别。然而由于年轻，我并没有真正地思考过他的话，我不理解雇员的思维与企业主的思维之间到底有什么差别，那时我正在努力不被学校开除。

然而，我确实听进去了他的话，并且很快这些话开始起作用了。两个生动而成功父亲的形象围绕着我，影响着我，也正是他们的所作所为使我开始注意到“E－S”象限和“B－I”象限之间的差别。起初，这些差别是微小的，后来就变得明显了。

例如，小时候我经历过一种痛苦的体验，那就是看两个爸爸中哪一位有更多的时间与我在一起。当我的两个爸爸都变得日益成功和显赫时，很明显，其中一个爸爸花在他妻子和四个孩子身上的时间越来越少，那就是我的亲爸爸。他总是到处奔波，出席会议或者奔向机场以便出席更多的会议。他越是成功，与我们在一起吃饭的次数就越少，甚至周末，他也会呆在自己拥挤的小办公室里，把自己埋在一大堆文件中。

相反，随着富爸爸的成功，他的闲暇却越来越多。我之所以学习到很多关于金钱、财务、商业和生活的知识，原因之一在于我的富爸爸有越来越多的自由时间陪伴我和他的孩子们。

另一个例子是当我的两个爸爸越来越成功时，他们挣的钱也越来越多，但是我的亲爸爸，即很有学问的那个爸爸，同时也陷入了更深的债务危机中。他不得不更加努力地工作，可突然发现自己已身处于更高的所得税率级别上了。他的银行家和会计师这时建议他买一幢更大的房子以实现所谓的“避税”。我的爸爸准备接受这项建议，购买一幢更大的房子，但他要更加努力地工作，好赚到更多的钱以支付他的新房屋……这样做的结果是，他又进一步远离他的家人。

我的富爸爸则截然不同。他赚的钱越来越多，但是缴纳的税却越来越少。他也有银行家和会计师，但是，他得到的建议与我的有学问的爸爸得到的建议并不相同。

主要原因

正因为我那处于事业顶峰、有学问但很贫穷的爸爸发生了一件事，使我决定不选择现金流象限的左边。

70年代初，我已经从大学毕业。因为我马上要被派去越南，故在佛罗里达州的彭萨科拉湾接受海军陆战队飞行员的培训。我的有学问的爸爸当时是夏威夷州的教育部的督学，一天晚上，他给我打了个电话。

“孩子，”他说，“我准备辞掉现在的工作，代表共和党参加夏威夷州副州长的竞选。”

我吃了一惊，随后才问道：“你要和你的老板竞选职位?”

“是的。”他回答道。

“为什么呢?”我说，“共和党人在夏威夷是没有机会的。民主党和工会的势力太强大了。”

“我知道，孩子，我也知道我们不能祈求成功。萨缪尔·金法官将是州长候选人，而我是他的竞选搭档。”

“为什么?”我再次问道，“为什么你明知道会失败，却还要与你的老板竞争?”

“因为我的良心不允许我不这么做，政客们玩弄的那套把戏令我气愤。”

“你是说他们贪污腐败?”我问。

“我不想那么说。”爸爸说。要知道我爸爸是一个诚实而且讲道德的人，他几乎不说任何人的坏活。他一直是一位外交家，然而，从他的嗓音中我能够肯定，当他说出下面这些话时，他是非常气愤而且不安的：“我只是想说，每当我看到幕后的真相时，我的良心就会不安。如果我假装瞎了眼睛，或什么事都不做，我将无法生活。我的良心比工作和薪水更加重要。”

长时间的沉默之后，我意识到爸爸的确已经下定了决心。

"祝您好运，"我平静地说，"我为您的勇气感到骄傲，我为是您的儿子而感到自豪。"

正如预想的那样，我爸爸和共和党议席被击败了。再次就任的州长传出消息说，我爸爸将永远不会再在夏威夷州政府获得任何一份工作……而且事实的确如此。那年我爸爸54岁，他开始找工作，而我则去了越南。

我爸爸在他中年的时候开始寻找新的工作。他从一个高头衔低工资的工作转到更多的高头衔低工资的工作上去，这些工作或是担任某家非赢利服务公司的总裁，或者是在一家非赢利服务企业当经理。

我爸爸个子很高，聪明而且充满活力。爸爸在他惟一熟悉的领域，即政府雇员的领域中，不再受到欢迎后，试着开办过几个小企业，曾有一段时间他还做过咨询顾问，甚至买下了一家有名的特许经营店，但是这些事业相继都失败了。随着他年龄愈大和精力的不断衰退，他卷土重来的动力在不断地减小；每次失败后他的意志会变得更加消沉。他曾是一个成功的"E"，但他这时要做的却是试图在"S"这个他没有任何知识和经验的象限，一个他心不在焉的象限里获取成功。他热爱公共教育事业，但是他找不到回去的路，州政府禁止雇佣他的禁令在无声地起作用。在某些领域里，这就叫做"被列入黑名单"。

如果没有社会和医疗保障，他生命中的最后几年将是一场彻底的灾难。他去逝时，心灰意冷中略带气愤，但仍保持着清醒的良知。

那么，是什么使我能够坚持住熬过了那段最黑暗的时光？我想是萦绕于脑海中的对我那有学问的爸爸的连绵回忆吧：他坐在家中，等着电话铃响，试图在商界，一个他一无所知的领域中获得成功。

然而，当回忆起我的富爸爸随着年岁的增长，变得更加幸福和成功时，我心中立刻充满了欢乐的感受。富爸爸在他54岁的时候，不仅没有衰退，而是更加的成功。在此之前，他已经很富有，但是现在他是百万富翁。他经常作为收购一些知名大公司的风云人物出现在报纸上，多年来，他有计划地经营着他的企业和投资，现在这些经营都得到了回报，他正在成为这个岛上最富有的人之一。

细微的差别变成巨大的不同

由于我的富爸爸给我解释过现金流象限，因此我能够轻易地看出象限间的一些细微差别。这些细微的差别经过多年以后，将演变出巨大的差异。正是由于现金流象限的影响，我知道一个人先不必忙着决定想做什么工作，重要的是应该清楚在选择某项工作之后究竟想使自己成为一个什么样的人。在最艰难的日子里，正是从我的两位有影响力的爸爸身上获得的深刻认识和教训，使我能够不断地进步。

不仅仅是象限

现金流象限不仅仅是两条直线和一些字母。

透过这个简单的图形表面，你将会发现一个完全不同的世界，以及观察世界的不同方式。作为一个从现金流象限左右两侧观察世界的人，我能够诚恳地说，这个世界将根据你所处的象限

不同而大不相同……而这些不同正是这本书所要描述的内容。

一个象限不比另一个象限好，每个象限都有优点和缺点。本书能够让你了解这些不同的象限，并告诉你在每个象限中获得财务成功所需要进行的个人发展。我希望你能够用更敏锐的眼光去选择最适合你的财务生活之路。

学校里没有教授在象限右侧获得成功所必备的许多技能，这也许能够说明为什么像微软的比尔·盖茨、CNN的泰德·特纳以及托马斯·爱迪生等人早早地离开学校之后仍能获得巨大成功的一些奥秘。本书会介绍这些技能以及个人需具备的关键气质，这些是在“B”和“I”象限中实现成功的必要因素。

首先，我将对四个象限进行概述，然后集中对“B”和“I”象限进行描述。已经有很多书描写如何能够在“E”和“S”象限中获得成功，故在此不再赘述。

读完这本书，有些人也许想改变自己的挣钱方式，有些人也许仍乐意保持现状。你也可能会选择在多个象限，甚至是在所有这四个象限中同时工作。我们每个人各不相同，而且并非一个象限一定比另一个象限更重要或者更好，世界上的每一个村庄、城镇、都市和国家，都需要有分别处在这四个象限中工作的人们，从而确保社区的经济稳定。

也许，随着岁龄的增长或有过另一种经历后，我们的兴趣会发生改变。例如，我注意到许多刚离开学校的年轻人兴高采列地找到工作，然而，几年以后，他们中的一些人会不再沉迷于在公司里升职，或者他们对他们所处的事业领域失去了兴趣。或许年龄和经验的变化会导致一个人去寻找新的成功路径，迎接新的挑战、金钱回报和个人幸福。我希望这本书能够提供一些达到这些目标的新观点。

总之，这本书不是描写无家可归的故事，而是要帮助你找到一个家……一个位于一个象限或几个象限中的家。

第二章

不同的象限，不同的人们

“老狗学不会新把戏。”我那有学问的爸爸总是这样说。

我曾经几次和他坐在一起，尽我最大的努力向他解释现金流象限，以便为他指明一些新的财务方向。但他已经近60岁了，他认为自己的梦想不可能实现了。被列入黑名单后，他被排除在州政府的大墙之外，现在他自己把自己也列入了“黑名单”。

“我尽力了，但没有用。”他说。

我的爸爸曾经尝试作一名自由职业顾问开办自己的事业，以期在“S”象限中获得成功，并且他也曾把他毕生积蓄的大部分投在一家有名的冰激淋特许经营店上，成了一名企业主“B”，但是这些努力都失败了。

他很聪明，在概念上认识到这四个象限中的每一个都需要不同的技术技能，他知道如果他想，他能够学会这些技能。但是其他一些因素阻止了他去这样做。

一天午饭后，我同富爸爸谈到了我的有学问的爸爸。

“你爸爸和我不是同一类人，”富爸爸说，“虽然我们都是人，都有恐惧、怀疑、信仰、优点和弱点，但是我们对这些基本相似点的反应或者处理方式存在着不同。”

“你能告诉我这些区别吗？”我问。

“这不是在一顿午餐后就能说清楚的，”富爸爸说，“但是不同的反应方式正是导致我们处在一个象限或另一个象限中的原因。当你爸爸竭力想从‘E’象限跨向‘B’象限时，智力上他理解这个过程，但是情感上他无法这样做。当事情进行得不顺利开始赔钱时，他就不知道该如何解决这些问题了……所以他仍回到了让他感觉最舒服的象限中去。”

“有时是‘E’象限有时是‘S’象限。”我说。

富爸爸点了点头，“当赔钱和失败的恐惧，使内心充满痛苦时，他会选择寻找安全，而我选择寻找自由。”

“而这就是关键性的不同之处。”我说着，示意侍者结账。

“虽然我们都是人，”富爸爸接着说，“但是当触及到金钱和与金钱有关的情感问题时，我们的反应完全不同。可正是对这些情感问题的反应方式决定了我们会选择从什么象限中取得收入。”

“不同的象限……不同的人们。”我说。

“的确如此，”当我们起身向门口走去时，富爸爸说，“如果你希望在任何象限中都获得成功，你需要掌握的不仅仅是技术、技能，还要了解导致人们追寻不同象限的关键性差别是什么。了解了这一点，生活就会变得更容易。”

当富爸爸的轿车开过来时，我们握手道别。

“噢，最后一件事，”我匆忙地说道，“我爸爸还能改变吗?”

“当然，”富爸爸说，“任何人都能改变，但是改变所处象限并不像改变工作或职业那样容易。改变象限通常是涉及到你是谁，你如何思考，你如何看这个世界的一种根本性改变。这种改变对喜欢改变的人来说比抗拒改变的人容易，即在大多数情况下是一种生活的改变，就像那个古老的故事：毛虫变成了蝴蝶。同时，不仅你要变，你的朋友也要改变，当你仍旧和你的老朋友在一起时，毛虫是很难做出蝴蝶做的事情的。因为这种改变太巨大了，所以不是很多的人能够选择这种改变。”

侍者关上了车门，富爸爸的车走了，我留在原地思考着这些差别。

这些差别是什么?

如果人们分别是“E”、“S”、“B”或“I”，却分不出彼此的类别，我该怎么辨别呢？一种方法就是倾听众人的诉说。

富爸爸最伟大的技能之一就是能够“读懂”别人，但是他认为，不能“仅从书皮就判断一本书”。富爸爸，就像亨利·福特一样，没有受过良好的教育，但是这两个人都知道如何组织别人工作以及如何与别人一起工作。富爸爸总是对我说，把聪明的人安排在一起，让他们做为一个团队工作是他的最基本的技能之一。

从9岁起，我的富爸爸就开始教我成为成功的“B”和“I”所需要的技能，这些技能之一就是绕过表面，去抓住这个人的实质。富爸爸过去常说：“如果我倾听一个人说话，我便开始看到并感觉到他的灵魂。”

所以在我9岁的时候，当我的富爸爸招聘人员的时候，我就和他坐在一起。从这些面谈中，我学会的不仅仅是倾听话语，还有通过语言来判定其基本的价值观。我的富爸爸说，价值观源于他们的灵魂。

“E”象限的话

来自“E”雇员象限的人们可能会说：

“我正在找一份稳定、有保障、薪水高、并且福利好的工作。”

“S”象限的话

来自“S”，即自由职业者象限的人们可能会说：

“我的工资是1小时35美元。”

或者“我的正常佣金是总价的6%。”

或者“看起来我找不到想做这项工作并能把这项工作做好的人。”

或者“我在这个项目上已经花了20多个小时了。”

“B”象限的话

在“B”象限，即企业主象限中工作的人们可能会说：

“我正在找一个新总裁来管理我的公司。”

“I”象限的话。

在“I”象限，即投资者象限中工作的人们可能会说：

“我的现金流是基于内部收益率还是净收益率呢?”

语言就是工具

富爸爸通常知道他正在面试的那个人的本质如何，在面试的那一刻，他知道他们真正想要什么东西，他必须提供什么，以及同他们交谈时需要说什么。富爸爸总是说：“语言是强有力的工具。”

富爸爸经常提醒他的儿子和我记住这句话：“如果你想成为人群的领导者，那么你首先需要成为语言的主人。”

所以，要成为一位伟大的企业主“B”，必要的技能之一就是做语言的主人，学会对不同的人说不同的话。他训练我们先仔细地听别人使用过的词语，然后让我们明白我们是否应该使用这些词语，以及应该何时使用它们以便达到最好的效果。

富爸爸解释道：“一句话可以令一种人兴奋起来，也可以使另一种人消沉下去。”

例如，“风险”这个词对于“I”象限中的人来说是令人激动的，而对于“E”象限中的人来说则唤起了他们的恐惧。

富爸爸强调说，作为伟大的领导者，我们首先必须是伟大的倾听者，如果你没有听清别人使用的语言，那么你将无法感受他们的灵魂，如果你没有感受到他们的灵魂，那么你永远也不会知道你在跟谁交谈。

关键性的差别

富爸爸之所以说，“倾听他们的谈话，体查他们的灵魂”，是因为在一个人所选择的语言的背后体现着这个人的基本价值观和与他人的关键性差异。下面是一个象限中的人群区别于另一象限中的人群的一些共同特征。

1.“E”（employee，雇员）　当我听到他们说“保障”或者“福利”这些词的时候，我能够知道这些人本质上是哪一类人。“保障”这个词是一个经常被用来回应恐惧心理的词，来自“E”象限的人会经常使用这个词。当问题涉及到金钱和工作时，很多人甚至憎恨那种来源于经济不确定性的恐惧感……因此渴望获得保障。

“福利”这个词意味着人们还喜欢某种额外的报酬，也就是一种明确的有保证的额外津贴，诸如医疗计划或退休计划。不确定性会使他们感到不快乐，确定性才使他们放心。他们内心会说：“我将给你这个……同时你得答应我给我那个做为回报。”

他们希望某种程度的确定性来平息他们心中的恐惧，所以他们就业时，他们寻求保障和严格的协议。他们会说“我对钱并不那么感兴趣”，这的确是事实。

对于他们来说，保障通常比金钱更重要。

雇员可以是公司的总裁，也可以是公司的看门人。问题不在于他们做什么，而在于他们与雇佣他们的个人或组织所签定的协议。

2. "S"（self-employed，自由职业者） 这是一群想"做自己的老板"的人，或者是喜欢"为自己做事情"的人。

我称这类人为"亲自做事的人"。

通常，当提到金钱这个话题时，一个顽固的、典型的"S"不喜欢让他或她的收入依赖于他人。换句话说，如果"S"工作努力，他们希望他们的工作得到回报。这些"S"不喜欢他们挣来的钱由别人来支配，或者由一群工作不如他们努力的人来支配。如果他们工作努力，那么请付给他们高薪水；如果工作不努力，他们也知道不该得到那么多。对于钱，他们持有相当独立的态度。

恐惧感

"E"，即雇员，对没有钱的恐惧感的反应通常是寻求"保障"。而"S"则会做出不同的反应，"S"象限的人不是通过寻找保障来消除恐惧，而是通过控制局势和亲自解决问题来消除恐惧，这就是称"S"族为"亲自做事"族的原因。对于恐惧和财务风险问题，他们想"抓住牛角来控制牛。"

在这群人中，你会发现有许多受过良好教育的"专业人士"，诸如医生、律师和牙医，他们都曾在学校中学习多年。

"S"族中的人除了接受传统学校教育外，还接受其他的教育方式。在这群人中，还有直接收取佣金的推销员，如不动产代理人，以及小企业主，如零售店老板、清洁员、餐厅老板、顾问、药剂师、旅行社代理、机师、管道工、木匠、牧师、电工、理发师和艺术家等。

这群人喜欢的论调是"没有人比我做得更好"，或者"我有自己做事的方式"。

自由职业者们通常是典型的“完美主义者”，他们通常想把事情做得格外地好。在他们的脑子里，他们不认为别人会做得比他们还好，因此他们实际上不相信别人会按照他们喜欢的方式做事……一种他们认为是“恰当的方式”，一种“能把事情做到最好的方式”。在许多方面，他们是具有自己的做事风格和方法的真正的艺术家。

而这正是我们雇佣这一类人的原因。如果你雇佣了一名脑外科医生，你希望他拥有多年的职业培训和经验，但是最重要的是，你希望他是一个完美主义者。对于牙医、发型师、营销顾问、管道工、电工、律师或者公司培训师，情况都是如此。以客户的角度，也希望能雇佣最好的人为他们服务。

对于这群人来说，钱相对于他们的工作而言不是最重要的事情。他们的独立性，按照自己的方式做事的自由，以及在他们的领域中被尊称为专家，都要比单纯的金钱重要得多。当你雇佣他们时，最好的方式是告诉他们你想要得到什么结果，然后把事情留给他们自己去做。他们不需要或者也不想要监督，如果你干预太多，他们只会停下工作，然后让你另请高明。钱的确不是第一位的，最重要的是他们的独立性。

这类人通常不愿意雇佣别人去做他们所做的事情，因为他们认为没有人能够胜任这项工作。他们经常说这样一句话：“现在很难找到好帮手。”

而且，如果这类人培训某个人做他们所做的事，那个刚被培训完的人在培训结束之后往往也会“做他们自己的事”、“做他们自己的老板”、“按自己的方式做事”，以及“找机会表现自己的个性”。

许多“S”型的人不愿雇佣或培训他人，因为一旦结束培训，这些人通常会变成了他们的竞争对手。这也是使他们更加努力的工作，亲自做事情的原因之一。

3.“B”（business owner，企业所有人） 这种类型的人几乎就是“S”的对立面，那些真正的企业主“B”喜欢自己身边围绕着来自四个象限“E、S、B和I”的精英们。与“B”不同，“S”不喜欢委派工作（因为没有人能做得更好），而真正的“B”喜欢分配工作。“B”的座右铭是：如果你能雇佣别人为你做事，并且他们能做得比你更好时，为什么要自己做呢？

亨利·福特就是这种类型的人。有一种流传的说法，讲一群所谓的知识分子谴责福特“无知”，他们认为福特实际上什么也不懂。为此福特邀请这些人去他的办公室，并鼓励他们向他提问，他愿意回答任何问题。这个小组召集了全美最有影响力的实业家，并开始向福特提问，福特聆听了他们的问题，当问题结束时，他仅是打了几个电话，叫来几个聪明的助手，由他们给出小组想要知道的答案。最后他告诉这个小组，他喜欢雇佣那些受过良好教育并知道答案的聪明人，这样他就能让自己的大脑保持清醒，以便做更重要的工作——“思考”。

福特的一句名言这样说道：“思考是世界上最艰苦的工作，这就是为什么很少人从事这项工作的原因。”

领导产生最好的结果

富爸爸的偶像是亨利·福利。他让我读了很多有关福特和标准石油的创始人约翰·D·洛克菲勒等人的书。富爸爸经常鼓励他的儿子和我学习领导艺术和商业技能。我现在才认识到，许多人可能具有其中的一种才能，但是做为成功的

“B”，你的确需要同时具备这两种才能，我还认识到，这两种才能可以通过学习获得。商业和领导技能不仅仅是一门科学，也是一门艺术，对我而言，这两者是我终生学习的对象。

当我还是一个孩子的时候，富爸爸送给我一本名叫《石头汤》的小儿书，这本书是玛西娅·布朗在1947年写的，今天仍能在大书店中找到它。从读这本书起，我开始了成为企业领导的培训课程。

“领导，”富爸爸说，是“在人群中间产生最好结果的能力”。因此，他教给他的儿子和我获得商业成功所必需的技术技能，这些技能包括阅读财务报表、营销、推销、会计、管理、生产和谈判，并且他强调，我们应该学会与他人合作和领导他人。富爸爸总是说：“商业技术技能很简单……困难的是与人们在一起工作。”

为了时刻提醒自己，今天我仍在读《石头汤》，因为在事情没有按照我的方式进行时，我个人有一种成为暴君而不是领导者的倾向。

企业家的培养

我经常听到这样的话：“我打算开始自己的事业。”

许多人愿意相信，通往财务安全和幸福的途径是“从事自己的事业”，或者是“开发一种别人没有的新产品”。

因此，他们匆忙地开办了自己的企业，在很多情况下，这是他们所选择的路。

许多人迂回行事，从“S”型企业开始而不是从“B”型企业起步。其实，并不是“B”型一定比“S”型好，两者都有优点和弱点、都有不同的风险和回报。但是许多人开始也想开办“B”型企业，却转而开办了一个“S”型企业，这使他们在进入象限右侧的探索过程中陷入了困境。

很多新企业家想这样做：

但是迂迴的做法使得他们受阻，图形变成：

然后他们尝试这样做：

但是仅有很少的一些人最终尝试成功了。为什么呢？因为在每个象限获得成功所需要的专业技术技能和人际沟通技能通常是不同的。你必须学会一个象限所需要的技能和思维方式才能在该象限中实现真正的成功。

“S”型企业与“B”型企业的区别

真正的企业主“B”可以离开他们的企业一年多，当他们回来时，发现他们的企业比他们离开时更能赢利，运营得也更好。在真正的“S”型企业中，如果“S”离开他的企业一年多，等他回来时，就会发现他的企业已没有什么生意可做了。

那么，是什么导致了这种不同呢？简单地说，一位“S”拥有的是一份工作，而一位“B”拥有的是一个系统，然后雇佣能胜任的人去操作这个系统。换句话说：在很多情况下，“S”不得不亲自操作系统，这导致他们无法离开。

例如，一位牙医花费数年时间在学校里学习，最后形成了一个自我控制的系统。你是一位得了牙痛的客户，你去看你的牙医，牙医为你治好了牙，你付钱后回家。你感到很高兴，并向你所有的朋友介绍你这位不错的牙医。在许多情况下，牙医能够独立完成全部的工作。问题是如果牙医去度假了，那么他的收入也就没有了。

“B”型企业主可以永远度假，因为他们拥有一个系统，而不是一份工作。当“B”在度假时，钱照来不误。

要想做一个成功的“B”，需要有：

A. 对系统的所有权或控制权；

B. 领导他人的能力。

对于“S”想要发展成为“B”，他们需要把他们自己和他们所知道的事情转变成一个系统……但是很多人无法做到这一点……或者通常是因为他们与这个系统的联系太过紧密了。

你能制做出比麦当劳更好的汉堡吗？

许多人向我咨询，如何创办一家公司，或者如何从一个新产品或一个新想法上赚到钱。

通常我用大约10分钟的时间倾听他们的问话，在这段时间里，我能够推断出他们的关键问题所在，是产品问题还是企业系统问题？在这10分钟内，我最经常听到这样一些话（记住做一名优秀的倾听者的重要性，要从话语中认识一个人灵魂深处的基本价值观）：

“这是一种比XYZ公司的产品好得多的产品。”

“我已经四处看过了，没有人生产这种产品。”

“我会把生产这种产品的想法告诉你；但我想要的是25%的利润。”

“我已经为此（产品、书、乐谱、发明）工作多年了。”

这些话通常是出自现金流象限左侧即“E”或“S”象限的人之口。

这时候，做到态度温和是很重要的，因为我们正在面对的是历经多年……或许是几代相传的根深蒂固的基本价值观和看法。如果我不够温和或耐心，我可能会毁掉一个脆弱而敏感的想法，而且更为重要的是，我可能会毁掉一个正准备转变到另一个象限中的人。

汉堡和商业

因为我需要态度温和，为了做到这一点，在交谈中，我经常使用“麦当劳汉堡”的案例进行说明。听完他们的谈话后，我会慢条斯理地问道：“你个人能制做出比麦当劳汉堡更好的汉堡吗？”

到目前为止，那些与我交谈过的有新想法或新产品的人们，百分之百地回答说“是的”。他们能够准备、烹制并提供比麦当劳汉堡更好的汉堡。

这时，我会再问他们一个问题："你能够建立起比麦当劳更好的企业系统吗？"

一些人立刻看出了不同，另一些人则没有看出什么。产生差异的原因就在于这个人的思维是固定在象限的左边，即只关注于做更好的汉堡，还是固定在象限的右边，即关注于企业系统。

我想要说明的是有很多企业家提供的产品或服务要比那些财大气粗的跨国公司提供的产品或服务好，就像有几十亿的人能够做出比麦当劳汉堡更好的汉堡一样，但是只有麦当劳拥有能够提供几十亿个汉堡的企业系统。

看看另一边

如果人们开始注意到象限的另一边，那么这时我建议他们去麦当劳，买个汉堡，坐在那儿，观察运送汉堡的系统。记下运送生汉堡的卡车，提供牛肉的牧场主，购买牛肉的人，以及罗纳德·麦当劳的电视广告。注意他们训练并要求那些新来的年轻人说的相同的一句话，"您好，欢迎光临麦当劳"，以及专卖店的装璜，区域办公室，烤制面包的面包房，和那几百万磅的全世界吃起来味道都一样的薯条，然后搜集那些在华尔街上为麦当劳融资的证券经纪人的名字。如果人们能够开始了解"整个画面"，那么此时他们有可能转变到象限的"B"或"I"一侧去。

事实上，世界上存在着无数的新想法，有几十亿人能够提供服务或产品，甚至是几百万种的产品，但是仅有少数人知道如何建立起卓越的企业系统。

微软的比尔·盖茨自己本身没有创造出一种伟大的产品，他买来了别人的产品，并以这种产品为基础建造了一个强有力的全球系统。

4."I"(investor，投资者)　投资者用钱赚钱。他们不必工作，因为他们的钱在为他们工作。

"I"象限是有钱人的游戏场。不管人们在哪个象限中挣钱，如果他们希望有一天变得富有，那么他们最终要进入"I"象限。正是在"I"象限，钱变成了财富。

现金流象限

这就是现金流象限。该象限简单地区分出收入的不同来源，不论是作为"E"(雇员)，"S"(自由职业者)，"B"(企业主)，还是"I"(投资者)。这些差别总结如下。

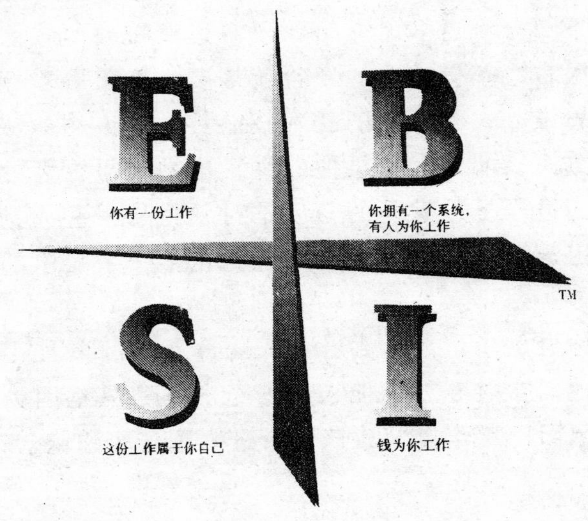

OPT 和 OPM

很多人听说过，获得巨额财富的秘诀是：

1.OPT：Other People's Time 的缩写，即：他人的时间。

2.OPM：Other People's Money 的缩写，即：他人的金钱。

OPT 和 OPM 在象限的右边可以找到。在大多数情况下，在象限左边工作的人就是那些 OP（other people，他人），他们的时间和金钱被利用了。

凯米和我花费时间去建立一个“B”型企业而不是一个“S”型企业的一个主要原因就是，我们认识到“使用他人的时间”可获得长期收益。做一名成功“S”的一个缺点就是，成功意味着更多的辛苦工作。换句话说，“S”型企业工作得越出色越有可能导致更辛苦的工作和更长的工作时间。

在设计“B”型企业时，成功意味着扩大系统，雇佣更多的人。换句话说，你会工作得更少，挣的钱更多，享受的自由时间更多。

本书以下部分将更多地介绍象限右边所需要的技能和思维方式。我在象限右边获得成功的经验就是要想在象限右侧取得成功需要不同的思维方式和不同的技术技能。如果人们能够足够灵活地改变思维方式，那么，我想他们将发现，获得更大的财务安全或财务自由的过程是很容易的。但是对于另外一些人，这个过程可能是非常困难的……因为他们固执僵化于一个象限的一种思维方式上。

至少，你会发现，为什么有些人工作很少，却能多挣钱，少纳税，并且他们在财务上比他人更安全。其实只是因为他们知道应该在哪个象限中工作以及应该何时进入到这个象限。

财务自由指南

现金流象限的理伦不是一套必需尊循的规则，但它能够指导那些希望使用它不断改善自己财务状况的人。现金流象限曾引导我和我太太走出财务困境，获得财务安全，最终达到财务自由。之所以我们会接受它们指导和影响，是因为我们不希望把我们生活中的每一天都用于上班并为钱工作。

富人与其他人的区别

几年前，我读到过这样一篇文章，说的是最富的人 70％多的收入来自投资，即“I”象限，不到 30％的收入来自工资，即“E”象限。而且如果他们是一位雇员“E”，那么情况就是，他们是自己公司的雇员。

这类人的收入情况如下：

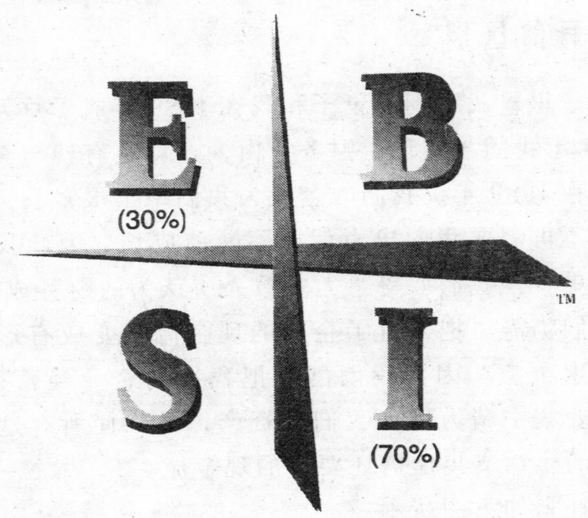

对于大多数人，如穷人和中产阶级，他们的收入中至少有 80％是来自于“E”或“S”象限的工资，只有不到 20％来自于投

资，即“I”象限。

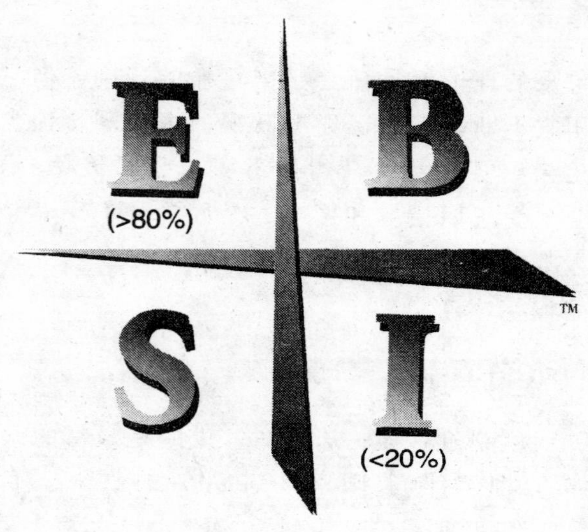

有钱与富有的区别

在第一章里，我写到我妻子和我在 1989 年成了百万富翁，但是直到 1994 年我们才实现了财务自由，这就是有钱与真正富有之间的区别。在 1989 年，我们的企业为我们赚了很多钱，由于我们的企业系统不再需要我们出力就能不断地成长，因此我们挣得更多，工作却更少。我们取得了大多数人所认为的财务成功。

但是我们仍需要把来自于企业的现金流转变成有形资产以便带来更多的现金流。因为我们已经把我们的企业经营得很成功，这时我们需要集中精力增加我们的资产，最终使所有这些资产能带来比我们的生活支出所需还要多的现金流。

我们的计划如下图所示：

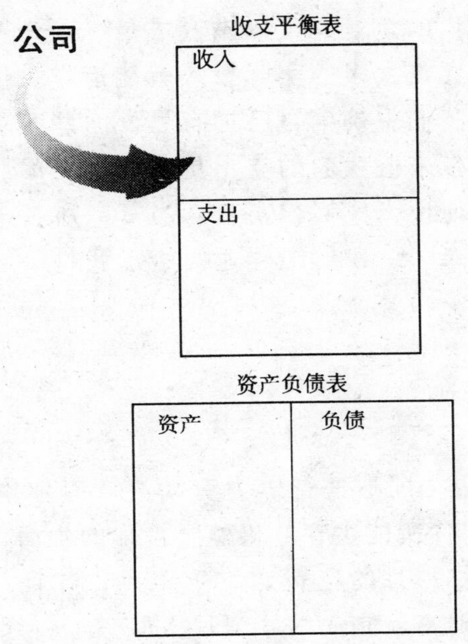

到 1994 年，我们全部资产所带来的稳定收入开始超出我们的总支出。这时，可以说我们达到了富有的水平。

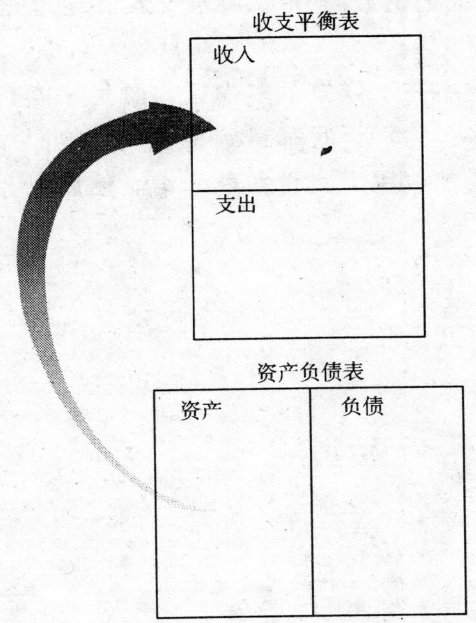

事实上，我们的企业也可以被看成是一项资产，因为它能够产生收入，而且无需太多的实际投入就能运作。但出于我们个人对财富的认识，我们想确信自己拥有另外一些有形资产，诸如不动产和股票，以带来比我们的支出更多的稳定的收入。因此，我们能够实事求是地说，我们很富有。当资产所带来的收入超过了企业所产生的收入时，我们把企业卖给了我们的合伙人，现在我们真的是很富有了。

财富的定义

财富的定义是："不进行体力劳动（或者你家里的所有人不进行体力劳动），你所能生存并仍然维持你的生活标准的天数。"

例如：如果你每月的花费是 1 千美元，并且你有3 千美元的储蓄，那么你的财富就是大约 3 个月，即 90 天。财富是用时间衡量的，而不是用美元度量的。

到了 1994 年，我妻子和我已经非常富有（能够应付巨大的经济变动），因为我们的投资所带来的收入已经远远超过我们的月支出。

最终，问题不在于你挣了多少钱，而是你能有多少钱和这些钱能为你工作多久。每天我都遇到很多人，他们挣的钱很多，但是他们所有的钱都被用于支付各种开销。他们现金流形式如下图所示：

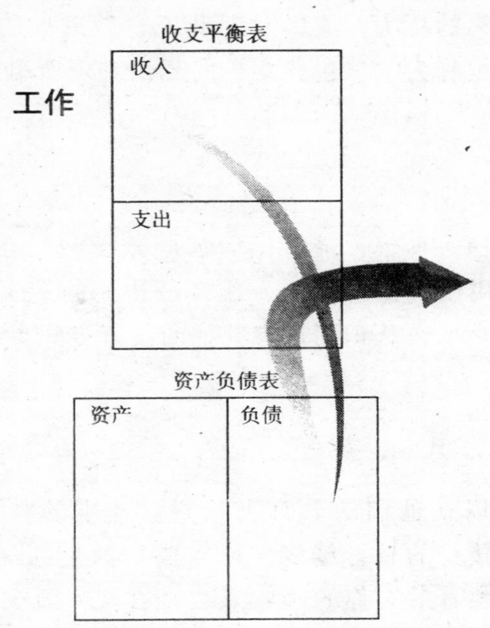

每当他们赚到一些钱时，他们就会去购物。他们通常会买一所更大的房子或一辆新车，这些导致了长期负债和更辛苦的工作，并且他们没剩下任何钱流入到自己的资产项目中去。他们挣到的钱消失得如此之快，以致于你可以认为他们是服用了某种财务泻药。

红线财务

在汽车领域，有一种说法叫做“把引擎开到红线档”。“红线”就是指汽车引擎在不熄火的情况下所能维持的最快速度。

在个人财务方面，很多人，不论是富人还是穷人，经常处于财务“红线”上。无论他们赚多少钱，都总是以挣钱的速度花掉钱。把你的汽车引擎开到“红线”档的麻烦就在于引擎的预期寿命缩短了，把你的财务状况推到“红线”上去的结果也会是一样的。

我的几位医生朋友说认为现在最主要的问题是辛苦工作却永

远缺钱花所带来的压力。有一位对我说，她最近的健康出现问题最主要是由被她称为“钱包癌症”的恐惧心理所引起的。

钱产生钱

不管人们挣多少钱，最终他们都应该投些钱在“I”象限中。“I”象限适于用钱生钱的想法，或者是让你的钱工作、而你不必工作的想法。当然，认识到还有其他的投资方式也很重要。

其他的投资方式

人们还可以在他们的教育上投资。基本的教育是非常重要的，因为你所接受的教育越好，你挣钱的机会也就越多。花 4 年时间完成大学教育后，你的年收入会是在 2.4 万美金至 5 万美金之间或者更多。假设平均每人自愿工作 40 年或者更长，4 年的大学教育或者其他形式的高等教育将是一种非常好的投资。

忠诚和努力工作是另一种投资，例如公司或政府的终生雇员由于努力工作，作为回报，雇员可以通过合同获得终生津贴。这是工业时代的一种流行的投资方式，但是在信息时代这种方式已经过时了。

另一些人则投资于大家庭，作为回报，当他们年老时，他们的孩子们会照顾他们。这种投资方式在过去是一种准则，然而现在，由于经济约束，单靠家庭的力量将越来越难以应付父母的生活费和医药支出。

政府退休计划，比如美国社会保障和医疗保险金，通常通过在工资单上扣除的方式支付，是一种由法律监管的投资方式。但是由于人口结构和费用额的巨大变化，这种投资方式也许不能信守它的一些承诺。

还有独立的退休投资工具，我们称之为个人退休计划。联邦政府通过向雇主和雇员提供税收优惠刺激，鼓励他们参加这样的计划。在美国，一个较流行的退休计划叫做“401（K）退休计划”，在一些国家，如澳大利亚，有一种他们称之为“超级年金”的退休计划。

投资带来的收入

虽然上面介绍了一些投资方式，但是真正属于“I”象限的人们往往喜欢这样一些投资方式，即在你做其他工作的同时通过某种投资能够为你带来收入。因此确定一个人是否有资格处在“I”象限中，使用的衡量标准与所有其他象限的衡量标准相同。请回答：目前你是从“I”象限中获得收入吗？换句话说，你的钱在为你工作吗？你的钱在为你带来收入吗？

让我们考虑一下这样一种人，他买了一所住房做为投资，并把它租出去，如果获得的租金多于经营房屋所付出的成本，那么获得的收入就是来自“I”象限的。同样，对于从储蓄中获得利息收入或者从股票和债券中获得红利的人们来说，他们的收入也是出自“I”象限的。因此，衡量“I”象限资格的标准就是你有多少收入是来自于不用在其中工作的象限。

我的退休账户是一种投资吗？

定期地把钱存入一个退休账户是一种投资，而且是一种聪明的做法。我们大多数人希望在我们停止工作时，被看成是投资者……但是在本书里，“I”象限代表着这样一种人，他们的投资收入在他们工作时就已产生。事实上，大多数人不是投资于退休账户，而是在往他们的退休账户里存钱，希望当他们退休时，能够拿到比存入的钱更多的钱。

把钱存入退休账户中的人和通过投资、积极地用钱生出更多的钱的人之间仍存在着不同。

证券经纪人是投资者吗?

很多人是投资业的顾问，但是依照定义，他们不是真正的从“I”象限中获得收入的人。

例如，大多数证券经纪人、不动产代理商、财务顾问、银行家和会计师主要是“E”或“S”。换句话说，他们的收入来自他们的专业工作，而不一定是来自他们拥有的资产。

我有一些朋友，他们是股票交易商，他们低价买入股票，希望高价卖出去。事实上，他们的职业是“贸易”，就像一个人拥有一个零售商店，成批的买进商品然后将商品零售出去。他们仍然需要付出劳动以获得金钱，因此，他们更适合“S”象限而不是“I”象限。

所有这些人都是投资者吗？答案是肯定的，但是要知道靠赚取佣金，靠出售建议或提供建议获得工资，或者靠尽力低买高卖来挣钱的投资者同靠投资或者创造良好投资机会来挣钱的人之间存在着差别。

有一种办法可以检测你的投资顾问的水平如何，即：在他们的收入中，百分之几来自佣金或者咨询费，百分之几来自资产收入，百分之几来自他们的投资或者他们所拥有的企业。

我有一些注册会计师朋友，他们在没有侵犯客户隐私的情况下告诉我，许多专业投资顾问几乎没有来自于投资的收入。换句话说，“他们不做他们所鼓吹的事情”。

来自“I”象限的收入的优点

因此，从“I”象限挣钱的人的主要特点是他们集中精力于用钱挣钱。如果他们擅长此技，他们能让钱为他们及他们的家人工作几百年。

除了知道如何用钱挣钱和不必起早贪黑去上班这些很明显的好处之外，还有许多税收方面的优惠是那些不得不靠工作挣钱的人们无法享受的。

富人变得更富的原因之一是他们有时能够挣到几百万美金，而且能够合法地不为这笔钱纳税。这是因为他们靠“资产项目”挣钱，而不是靠“收入项目”挣钱，或者说他们是做为投资者而非工人来挣钱。

那些靠工作挣钱的人们，不仅经常要以较高的税率纳税，而且税金会直接从他们的工资中扣出，因此他们甚至永远也看不到他们的这部分收入。

为什么大多数人不是投资者?

“I”象限是这样一种象限：工作很少，挣钱很多且付税较少。那么为什么较多的人不去做投资者呢？原因与为什么很多人没有开办自己的企业相同，概括成一个词就是：“风险”。

很多人不希望把自己辛苦挣来的钱都投出去且收不回来，他们是如此害怕损失，于是选择完全不投资或完全不冒险……无论他们能挣回多少钱。

一位好莱坞的名人曾说，“我担心的不是投资能带来多少收入，我担心的是投资能否带来收入。”

从对赔钱的恐惧的角度来看，可以把投资者分为四大类：

1. 厌恶风险者，对他们来说最重要的是安全稳妥，他们宁愿把钱放在银行里；

2. 聘人代为投资的人，这类人会把钱交给别人，如财务顾问或共同基金经理，代其投资；

3. 投机者；

4. 投资者。

投机者和投资者之间的区别在于：对于投机者，投资是一种随机游戏；对于投资者，投资是一种技能游戏。而对于把钱转交给别人投资的人，投资通常是一种他们不想学习的游戏。对于这些人来说，最重要的事情是仔细挑选投资顾问。

在下一章，本书将讨论投资者的 7 个等级，会使投资者这个主题更加清晰。

风险最终能被消除

关于投资的好消息是风险能被最小化，甚至被消除，而且只要你真正了解游戏的规则，你就能从你的投资中得到高回报。

真正的投资者会这样说："我将以多快的速度收回我的钱？收回最初的投资后，我在余生中还能得到多少收入？"

真正的投资者想知道他们收回投资的速度，而拥有退休账户的人们不得不等到多年以后才能查明他们的钱是否收得回来，这是职业投资者和把钱存入退休账户的投资者之间的最根本的差别。

正是对赔钱的恐惧导致大多数人寻求保障。然而"I"象限并不是像人们想像的那样不安全，"I"象限与其他象限一样，有自己的技能和思维方式。如果你愿意花时间学习，是能够学会在"I"象限获得成功所需要的技能的。

一个新时代开始了

1989 年，柏林墙倒塌。这是世界历史上重要的事件之一，以我的观点，这次事件标志着工业时代的结束和信息时代的到来。

工业时代退休金计划和信息时代退休金计划的差别

工业时代开始的时间大致与 1492 年哥伦布航海远行的时间相一致，1989 年柏林墙的倒塌标志了这个时代的结束。出于某种原因，在现代历史上，似乎是每 500 年就发生一次伟大而剧烈的变化，我们现在正处在这样的时期中。

这种变化已经威胁到几亿人的财务安全，而很多人还没有意识到这种变化将会对经济产生多么重大的影响，很多人将无法承受这种变化。这种变化可以在工业时代退休金计划和信息时代退休金计划之间的差别中找到。

在我小时候，富爸爸鼓励我用我自己的钱去冒险，并让我学习投资。他总是说："如果你想有钱，你需要学会如何冒险，学会成为一名投资者。"

回到家里，我告诉有学问的爸爸关于富爸爸的建议，即我们应该学会如何投资和管理风险。我的有学问的爸爸回答说："我不需要学习如何投资。我有政府的退休金计划，一份来自教师工会的退休金和被担保的社会保障福利，为什么我还要拿我的钱冒险呢？"

我的有学问的爸爸相信工业时代的退休金计划，如政府雇员退休金和社会保障金。因此，当我加入美国海军陆战队时，他很高兴。当我去越南时，他也并不担心我在越战中可能会丢了性命，而只是说："20 年后，你会得到一份退休金和终生医疗保险。"

虽然这样的退休金计划官方现在仍在使用，但它显然已经有些过时了。公司将对你退休后的生活负经济责任，政府也将通过退休金计划实现你退休后的需求平衡，但这样的想法已是不再有效的陈旧观念了。

人们需要成为投资者

当我们从确定的福利退休金计划或者是我所说的工业时代的退休金计划转变到确定公积退休金计划，即信息时代的退休金计划时，作为个人你现在必须对你自己负起经济责任，然而并没有多少人发现了这个变化。

工业时代的退休金计划

在工业时代，确定的福利退休金计划意味着，公司将保证每个员工只要在世就可获得一笔确定的金额（通常是每月支付）。因为这一计划确保了未来的一份稳定的收入，所以人们感到有保障。

信息时代的退休金计划

但有人改变了上述规则，当你停止工作时，公司突然不再给你财务保障，而是开始实施确定公积退休金计划。“确定公积”意味着你仅能拿回你和公司在你工作期间所提供（贡献）的价值，也就是说，你的退休金由所贡献的价值来决定。如果你和你的公司没有投入，那么你也拿不到任何的钱。

在信息时代可喜的事是，人的寿命将会增加；而可悲的是，你可能活得比你能领退休金的日子还长。

有风险的退休金计划

而且，比这更糟的是，你和你的雇主投在计划中的钱已不再保证在你决定取回时还存在，这是因为像“401（K）计划”和“超级年金”这样的退休金计划也会受到市场的影响。换句话说，某天你可能在你的账户中存有1百万美元，如果发生了股市下跌，这是每个市场都会突然发生的情况，那么你的1百万美元只会剩下一半或者一文不剩，这说明终生获得收入的保证一去不复返了……可我在想有多少正在进行这种计划的人能够意识到这一点呢。

这可能意味着，人们在65岁时退休，开始靠他们的确定公积金计划生活，比如说到了75岁时他们可能花光了他们所有的钱，这时他们又该怎么办？请打消重新开始工作或投资的想法。

那么，政府的确定福利退休金计划又如何呢？在美国，社会保障金制度预期到2032年就会破产，医疗保险制度到2005年就会破产，而那时正是那些在生育高峰时期出生的人们最需要它的时候。即使在今天，社会保障金也没能够提供出很多的收入。当7,700万在生育高峰时期出生的人开始要回他们过去投入的钱……但钱并不在那儿时，天知道情况将会怎样？

1998年，克林顿总统因在口号中呼吁“拯救社会保障金制度”而受到了广泛欢迎。然而，正如民主党参议员霍林斯所说，“很明显，挽救社会保障金制度的第一种办法就是停止掠夺它。”多年以来，联邦政府应对从退休基金“借钱”以应付日益膨胀的政府开支的做法负责。

许多政客似乎认为，社会保障金是能够用来花费的收入，而不是一项以信托方式保留下来的别人的资产。

太多的人依赖政府

我写书并且创造教育纸板游戏《现金流》等产品是因为我深刻地意识到我们正处于工业时代的末期，我们将进入信息时代。

作为一名公民，我的忧虑是，从我这一代人开始，有多少人为了面对工业时代和信息时代之间的差别真正做好了准备……尤其是我们应该怎样为我们的退休做好财务上的准备。那种“上学，然后找份稳定安全的工作”的想法对于1930年以前出生的人来说是个好主意。然而今天，虽然每个人都需要上学学习以便找到一份好工作，但是我们还必需要知道如何投资，而目前投资并不是学校里教授的基本科目。

工业时代的一个后患就是，有太多的人变得依赖政府去解决他们的个人问题。今天，由于政府出面承担了我们个人应承担的财务责任，使我们面临的问题将更为严重。

据估计，到2020年，美国将有人口2.75亿，其中将有1亿人期望获得某种政府支持。这些人包括联邦雇员、军队退役人员、邮政工人、学校教师和其他政府雇员以及期待社会保障金和医疗保险金的退休人员。并且，按照合同，他们的这种期待是正确的，因为通过此种或彼种方式，大多数人都已经在这种承诺中投了资。多年来太多的承诺现在都快要开始兑付了。

然而，我认为这些财务承诺实难兑付。如果我们的政府开始征更多的税以信守这些承诺，那么能够逃离的人都将逃往税率较低的国家。在信息时代，对于税收领域来说，“离岸”这个术语不再是指另一个国家……“离岸”可能是指“电子空间”。

巨大的变化就在眼前

我想起约翰·F·肯尼迪总统的一句警句，“巨大的变化就在眼前。”

的确，这个变化就在我们身边。

就像一位在生育高峰时期出生的预言家，在他的那首名为《时代在改变》的歌中唱到的，“你最好学会游泳，否则你会像石头一样下沉。”

不用成为投资者的投资

从确定福利变为确定公积退休金计划正在迫使着世界上几百万人成为投资者，而这些人几乎没有受过任何投资方面的教育。许多人终其一生去避免财务风险，但是现在却不得不承受它……这些财务风险随着他们生活的进展，年龄的增长和工作的结束而来。大部分人只有在他们退休时才会知道，他们是聪明的投资者还是粗心的投机者。

今天，股市是一个世界性的话题，它刺激着许多事情的发生，其中之一就是非投资者在尽力成为投资者。他们的财务路径如下：

这些人，即“E”和“S”中的绝大部分人是天生的安全导向型的人，因此他们寻求有保障的工作或职业，或者开办他们能够控制的小企业。今天，由于确定公积退休金计划，他们正在移向“I”象限，他们希望在他们退休时能够在那里找到“安全与保障”。不幸的是，“I”象限的特点不是它的安全性，“I”象限是以风险为特征的象限。

因为在现金流象限的左侧有如此多的人在寻找安全，所以股票市场相应地做出了反应。于是你常常听到这样一些话：

1. “多样化”。寻求安全性的人们常用“多样化”这个词。为什么？因为多样化战略是一个“不亏损”的投资战略。但我要说它并不是一个挣钱的投资战略，成功的或者有钱的投资者并不使用多样化投资战略。他们更注重自己专一的努力。

   沃伦·巴菲特可能是世界上最伟大的投资者之一，他这样评价“多样化”：“我们所采用的战略排除了我们标准的多样化信条，因此，很多权威认为这种战略一定比大多数传统的投资者所采用的战略风险更大。但我们不同意这种看法。我们相信，证券集中化的策略会使投资者考虑一系列问题，如企业的强度、投资者在买进之前对企业的经济特征所产生的满意度，这样做反而可以减少风险。”

也就是说，沃伦·巴菲特认为证券集中化或者集中于几种投资而不是实行多样化是一种更好的投资战略。他的理念是，集中化而不是多样化要求你在思想上和行动上更聪明，更激进。他在文章中写到，普通投资者避免波动是因为他们认为波动是有风险的，而“事实上，真正的投资者喜欢波动”。

我妻子和我在走出财务困境、寻找财务自由时，也没有实行多样化，我们集中我们的投资并使它不断增值。

2. “绩优股”。寻求安全性的投资者通常购买“绩优股”。为什么呢？因为他们认为这些公司更安全。然而也许公司很安全，但是股票市场不是。
3. “共同基金”。不太懂投资的人觉得把他们的钱交给一位基金经理会更安全，因为他们希望这些人能够做得比他们好。对于那些不想成为职业投资者的人来说，这是一个明智的战略。问题是，虽然这种做法很明智，但是，它并不意味着共同基金的风险一定很小。事实上，如果股市下跌，我们可能会看到我所说的“共同基金崩溃”这种可怕的金融崩溃，就像1610年的“郁金香事件”，1620年的“南海泡沫”和1990年的“垃圾债券”事件一样。

今天，市场上挤满了几百万寻求安全与保障的人，但是，巨大的经济变革正迫使他们不得不从现金流象限的左侧移向“安全不存在”的右边。可许多人仍认为他们已不再安全的养老金计划是安全的，这引发了我的担忧：一旦社会发生崩溃或出现大萧条，他们的计划将荡然无存。显然，现在的各种退休计划已远不如我们父母时代的安全。

巨大的经济变革正在来临

现在正是巨大的经济变革时期，这些剧变标志着旧时代的结束，新时代的开始。在每个时代的末期，都有人前进，有人固守过去。我担心，对于那些仍期望让大公司或政府为他们的财务安全负责的人们来说，他们会在未来的日子里深感失望。他们的信念是工业时代的信念，而不是信息时代的信念。

没有人能够预测未来。我认同许多投资信息服务公司不尽相同的看法，一个说近期前景光明，一个说市场下跌和大萧条就在眼前。为了保持客观，两种看法我都会接受，因为这两种看法都有值得倾听的观点。我的角色不是扮演一位预言家并试图预测未来；相反，我在“B”和“I”象限中工作学习，为将发生的任何事情做准备。一个有准备的人，无论经济走向何方，无论何时发生变动，都会获得成功。

历史的经验告诉我们，通常，一个活到 75 岁的人应该预期会经历一次经济萧条和两次大的经济衰退。我的父母经历了他们那个时代的萧条，而在生育高峰时期出生的人们还没有……自从上一次经济萧条以来已经有大约 60 年的时间了。

今天，我们都需要关注工作保障性以外的事情。我想，我们还需要关心自己的长期财务安全……并且不要把这种责任推给公司或政府。当公司说他们不再为你退休后的生活负责时，时代就真的在改变了。一旦他们转向确定公积退休金计划，这个信息就是在告诉你，你将自己负责投资于你的退休计划。因此，今天，我们都需要成为更聪明的投资者，对金融市场的波动变化保持警惕。我建议每一个人都应学习成为一名投资者，而不是把钱交给别人替你投资。如果你仅仅是把钱交给某个共同基金或顾问，你或许要等到 65 岁时才能发现那个人是否做好了他的工作。如果他们做的工作很糟糕，你将不得不在你的余生继续工作。很多的人将不得不这样做，因为对于他们来说，投资或者学习投资已经太晚了。

学习驾驭风险

高回报、低风险的投资是可能的，你所要做的就是学会如何做这种投资，其实这并不难。事实上，这就像学骑自行车，刚开始时，你可能会摔跤，但是后来，你不再摔跤，对大多数人来说，骑车变成一种后天的本能，投资也是如此。

现金流象限左侧存在的问题是，多数人呆在那里是为了躲避金融风险。我的建议是：不要躲避风险，而是要学会如何管理风险。

敢于冒险

敢于冒险的人改变着这个世界，几乎没有不冒风险就变富的人，但太多的人依赖政府消除生活风险。正如我们所了解的那样，信息时代的开始正是大政府时代的结束，大政府太昂贵了，世界上很多依靠“特权”和退休金生活的人在经济上都将被远远抛开。信息时代意味着我们都要变得更能自给自足，变得更加成熟。

“刻苦学习，然后找份安全而有保障的工作”的想法产生于工业时代，而我们将不再处于那个时代。时代在变化，问题是很多的人的想法并未改变。他们认为，他们应被赋予某些东西，许多人甚至认为“I”象限与他们无关。他们理所当然地想，当他们退休时，政府或者大企业或者工会或者他们的共同基金会照顾他们。对于这些人，我真诚地希望他们是对的。他们也大可不必再继续阅读本书。

出于对那些认识到应该成为投资者的人们的关心促使我写作本书。这本书是想帮助那些想从象限左侧转移到象限右侧，但又不知道从何开始的人们。任何人只要有恰当的技能和决心，都能实现这种转变。

如果你已经实现了自己的财务自由，那么，我要说，“祝贺你。”并请把你的经历告诉别人，并在他们愿意的情况下指导他们，帮助他们找到自己的路，因为有很多种路通向财务自由。

不管你如何决定，请记住这点，财务自由是来之不易的。这种自由是有价的……但对我来说，它值这个价。最大的秘诀是：其实通向财务自由之路不用花很多的钱也不一定非要受过多么高等的教育，甚至也没有太大的风险。这种自由的价格是用我们的梦想、渴望和征服的过程中克服失意的能力来计量的。你愿意支付这个价格吗？

我的一个父亲支付了这个价格；另一个却没有。他支付的是另外一种不同的价格。事实上很难说他们两个谁比谁付出的代价更高昂，但结果却是他们一个获得了自由，另一个则终生挣扎在财务深渊的边缘。

B 象限测试

你是真正的企业主吗？

如果对下面的问题你的回答是“能”，那么你是一个真正的企业主：

你能离开你的企业一年或更长时间，回来时发现它比你离开时还要赚钱并且运营得更好吗？

□能　　□不能

第三章

人们为什么选择安全
而不选择自由

我的两个爸爸都建议我上大学并获得一个大学学位。但是当我获得了学位后，他们的建议就不同了。

我的有学问的爸爸经常说："上学，考高分，然后找份安全有保障的好工作。"

他建议的生活道路位于象限的左侧，如下图所示：

我没有学问但很富有的爸爸说："上学，考高分，然后开创你自己的公司。"他的建议位于象限的右侧。

他们的建议是不同的，因为他们一个关心职业保障，另一个则更关心财务自由。

为什么人们寻求职业保障

人们寻求职业保障的主要原因是，他们在家里和在学校里就已被告知要寻求的东西是什么。

至今为止，很多的人仍在不假思索地听从这种建议。很多人从小就被告知要首先考虑工作安全性，而不是财务安全或财务自由。并且由于大多数人在家或在学校没有学到多少甚至根本没有学到关于金钱方面的知识，因此大多数人更坚信工作安全的观念……而不是去追求财务自由。

如果你观察现金流象限，你会发现，象限的左侧是由安全性推动的，而象限的右侧是由自由推动的。

陷入债务危机

社会上有 90% 的人在象限的左侧工作，因为象限的左侧所需技能是人们在学校里学习过的。当左边的人离开学校时，他们很快就陷入了债务之中，他们陷得如此之深，以致必须与工作或者职业保障联系得更紧，好支付各种账单。

我经常遇到一些年轻人，他们靠学校贷款完成学业。其中有几个人说，当他们看到为了接受大学教育，自己欠了 5 万至 15 万美元的债务时，感到非常沮丧。如果父母为他们交学费，那么他们的父母又将会多年处于财务紧张状态。

最近我读到这样的消息，目前大部分美国人在读书的时候已经开始使用信用卡，并在他们此后的一生中一直欠债，这是因为他们都还保持着那种在工业时代很受欢迎的信念。

持有原来的信念

如果我们观察那些受过教育的普通人的生活，我们会发现他们的财务记录通常是这样的：

上学，毕业，找工作，很快开始挣钱和消费。此时的年轻人已经能够支付得起房租、电视、新衣服、一些家具，当然还有一辆车，不过账单也是接踵而至。一天，年轻人遇到了某个特别的人，两人一见钟情，坠入情网，然后结婚。一段时间内，生活很幸福，因为两个人的生活费用和一个人的花费差不多，而两个人都工作使得他们有了双份的收入，于是他们能拿些钱出来去购买年轻人所向往的东西——自己的房子。他们找到了理想的房子并拿出储蓄支付了首付款，然后他们会使用抵押贷款按月支付房款。因为他们有了一所新房子，于是新的家具又成为下一个目标，他们又找到一家家具商店，那充满魔力的广告词说：不用首付，只需轻松地每月支付。

生活是美妙的，这时他们举办晚会，把他们所有的朋友都找来参观他们的新房子、新车、新家具和新玩具，但他们却没有意识到这些将导致他们在余生中要背负多么沉重的债务。接着，他们的第一个孩子出生了。

这对教育良好、工作努力的普通夫妇在把孩子交给幼儿园之后，必须节省开支，努力工作。他们变得必须要寻求职业保障，否则他们不到 3 个月就会破产。你经常会听到这些人说，“我不能停下来，我有账单要付”，或者像《白雪公主》中的一首歌所唱的那样：“我欠了债，我欠了债，因此我得去工作。”

还有 50 年代田纳西歌手厄尼·福特的歌：

“你装了 16 吨的货，而你得到了什么？
债务延长一天，负担就重一天。
圣彼得，你不要带我走，因为我不能走，
我把我的灵魂献给了公司。”

成功陷阱

我能从富爸爸那里学习到很多东西的原因之一就是他有闲暇时间来教我，随着他的日益成功，他的闲暇和钱也越来越多。生意越好，他越不用辛勤工作，他的总裁完全可以帮他去发展壮大公司并雇佣更多的人。假如投资顺利，他会再投资并挣更多的钱，而这份成功又带给他更多的自由时间来教我和他自己的儿子关于企业和投资的更多事情。我从他身上学到的财务知识远比从学校学到的多，这中间包括在现金流象限右侧——“B”和“I”象限工作所需要的基本技能。

我有学问的爸爸也很努力工作，但他是在现金流象限左侧工作。由于他的努力，他获得提升并承担更多的工作，他花在孩子们身上的时间越来越少，他早上7:00上班，多数时候当他下班回到家时，我们都因为太晚早已经睡觉了。这就是你在现金流象限左侧辛苦工作，获得成功后的结果：成功使你的闲暇越来越少……尽管闲暇可以换来的是更多的快乐和更多的钱。

金钱陷阱

象限右侧的成功需要有关金钱的知识，即“财商”。富爸爸这样定义财商：“财商不是你赚了多少钱，而是你有多少钱，钱为你工作的努力程度，以及你的钱能维持几代。”

象限右侧的成功的确需要财商，如果人们缺少基本的财商很可能他们将无法在象限右侧生存。

我的富爸爸善于理财，善于与他人合作。他必须这样，因为他要挣钱，要管理尽可能少的人，以便维持低成本并保持高利润。这些是在象限右侧获得成功所必需的技能。

正如我的富爸爸一再向我强调的那样，你的房子不是一项资产，而是一项负债。他通过教给我们财务知识并让我们读懂这些数字来证明这点。因为他善于管理员工，所以他能有闲暇时间教育他的儿子和我。他的工作技能甚至被应用到他的家庭生活中。

我的有学问的爸爸在工作中不管理钱和人，虽然他自认为他管理着很多的钱和人。身为州教育部部长，他是拥有几百万美元预算和几千雇员的政府官员，但是这不是他创造的钱，而是纳税人的钱。他的工作是花掉它，如果他不花掉这些钱，政府将在来年给他较少的钱，因此每个财政年度快要结束时，他都在想尽办法花光预算中的钱数。这意味着他通常要雇佣更多的人去使下一年的预算显得合理。有趣的是,他雇的人越多,他的问题也越多。

小时侯看到两位爸爸的不同境况，我开始决定我要过什么样的生活。

我有学问的爸爸非常爱读书，因此他在文学方面很有造诣，但是他的财务知识却十分匮乏。因为他不会读数字，他必须听从他的银行家和会计师的建议，这两个人都告诉他，他的房子是一项资产，而且这是他最大的投资。

因为有这样的财务建议，我的有学问的爸爸不仅工作得更加努力，而且也进一步陷入到债务危机之中。每次由于他的努力工作而获得提升时，他的薪水就会增加，而随着薪水的增加，他所处的税率等级也不断提高。由于他处在较高的税率等级上，并且六七十年代的高收入公务员的税率是相当高的，所以他的会计师和银行家告诉他，应该购买一所更大的住房，这样他能够免除利息支付。他挣了更多的钱，但结果是他的税赋和负债增加了。他取得的成功越大，工作得越努力，他与他所爱的人共同度过的时间就越少。很快，所有的孩子都离开了家，而他仍在努力地工作以便支付所有的账单。

他总是认为，下一次提升和加薪将会解决他的财务问题，但是他始终没能意识到他挣得越多，负债和纳税也越多。

在家和在工作中，他越是窘迫，他看起来就越需要依赖职业保障。他越是在情感上依赖工作，越是需要薪水付他的账单，他就越是鼓励他的孩子们去“找一份更稳定、更有保障的工作”。

他越是感到不安全，就越是寻找安全感，结果却是更多的不安全。

你的两大支出

因为我的爸爸不会读财务报表，因此，当他日益成功时，他无法看到自己的财务困境。我看到很多其他像他一样努力工作的成功人士陷入了相同的财务困境。

如此多的人为钱挣扎，其原因就在于每当他们挣到更多的钱时，他们会增加两项最大的支出：

1. 税收；
2. 债务利息。

事实上，政府存在着税收漏洞并因此使你陷入更深的债务危机中，这难道不能引起你的疑问吗？

就像我的富爸爸对财商的定义一样："财商不是指你挣多少钱，而是指你有多少钱，这些钱为你工作的努力程度，以及你的钱能维持几代。"

我的努力工作并有学问的爸爸在其去逝后，政府对他所遗留下来的很少的钱征收了遗产税。

寻找自由

我知道，很多人在寻找财务自由和生活幸福，问题是大多数人没有被培训得适合在"B"和"I"象限中工作。由于缺乏培训以及追求工作保障和不断增加的债务，使大多数人把他们对财务自由的追求限制在现金流象限的左侧。不幸的是，财务安全或财务自由很少在"E"或"S"象限中出现，真正的安全和自由位于象限的右侧。

改变工作，寻找自由

现金流象限对跟踪或观察一个人的生活方式很有帮助。许多人终其一生寻找财务安全或自由，但是最终是从一个工作转到另一个工作。例如：

我有一个高中时代的朋友。每五年我都会收到他的一封来信。开始时他总是那样兴奋，因为他已经找到了非常满意的工作，他欣喜若狂，因为他在为他所梦想的公司工作。他如此热爱他的公司，那儿的工作令人振奋。他喜欢他的工作，他有一个重要职位，薪水丰厚，员工能干，福利很好，晋升的机会也很多。但是在四年半前，我又收到他的来信，这时，他很失望。他说，他所在的公司贪污腐败，没有信誉；他们不尊敬员工；他讨厌他的老板；他错过了一次升职机会，而且他们给他的薪水太少。可6个月后，他又高兴起来了，因为他发现了另一份非常满意的工作。然而不久他又一次发现……

他的生活经历让我感觉就像一只狗在追自己的尾巴一样，如下图所示：

他的生活方式是从工作到工作，他一直生活得很好，因为他很精明，有魅力而且有个性。但是时间在追赶他，更年轻的人目前正在得到他过去得到的工作。他有几千美元的储蓄，没有任何退休基金，有一所他永远不会拥有的住房、孩子的抚养费和将需支付的大学学费。他最小的孩子8岁，和他的前妻生活。最大的孩子14岁，和他一起生活。

他过去总是对我说："我不用担心，我还年轻，我有时间。"

我想知道现在他是否还会这样说。

以我的观点，他需要认真考虑，开始迅速转向"B"或"I"

象限。他需要开始新的生活和新的教育过程，除非他走运赢了彩票，或者找了一位有钱的女人结婚，否则他余生都要努力工作。

做你自己的事情

“E”变成“S”

另一种常见的方式是一个人从“E”变成“S”。在目前这个公司规模急剧缩小的时代，许多人离开他们所在的大公司，开创自己的企业。这是所谓的“家庭企业”的繁荣时期。很多人决定“开创他们自己的企业”，“做他们自己的事情”和“做他们自己的老板”。

他们的职业路径如下：

在所有的生活路径中，我认为这种路径适合大多数人，但“S”的回报虽最高，但风险也最大，它是最困难的象限，失败率很高。如果你停留在这个象限中，成功甚至比失败还糟。这是因为如果你是一位成功的“S”，你将要比你在其他任何一个象限中都更努力地工作……只要你是成功的。这种努力换来的地将是长期的无休止的工作。

“S”工作得最努力的原因是他们是典型的“大厨师兼洗碗工”。他们必须做所有的工作或者负责所有的工作，而这些工作在较大的公司中将由许多经理和雇员完成。刚工作的“S”通常要回电话，付账单，打推销电话，尽力做低价广告，接待顾客，招聘职员，解雇职员，当职员不在时填补空缺，与税务人员交涉，面对政府检查官等等。

就个人而言，每当我听到某人说，他们将开办自己的企业时，我就感到畏缩。我希望他们一切都顺利，但是我非常替他们担心。我见过许多“E”用其一生的积蓄或者向朋友或家人借钱，开办他们自己的企业。经过三年左右的挣扎和艰苦工作，企业扩大了，但没有终生储蓄，只有债务需要偿还。

就全国范围来讲，这种类型的企业在五年内每 10 家中会有 9 家以失败告终。对于生存下来的那一家企业，在下一个五年内，又以每 10 家中有 9 家的比例告终。也就是说，100 家小企业中有 99 家将在 10 年内最终消失。

我想，大多数企业在第一个五年中失败的原因是缺少经验和资金，惟一的幸存者在第二个五年中失败的原因则不再是缺少资金，而是缺少精力。长时期的努力工作最终毁了这个人，很多“S”常感到精疲力尽。这也是为什么很多受过高等教育的专业人员或者更换公司，或者试着开始某种新事业，或者会过劳死的原因。也许，这也是医生和律师的平均寿命预期值低于大多数人的原因。他们的平均寿命是 58 岁，其他人的寿命则是 70 多岁。

对于最终生存下来的那些人来说，他们似乎已经习惯早起，上班和努力工作，这似乎是他们所知道的全部事情。

一位朋友的父母告诉我这样一件事。45 年来，他们花了很多时间经营他们位于街角的酒店。当附近犯罪活动增加时，他们不得不在门窗上安装上钢栅栏。现在，钱要从一个狭缝中递入递出，就像银行里那样。我偶尔顺路拜访他们，他们是那种很亲切而友好的人，但是看到他们像囚犯一样从上午 10 点到凌晨 2 点一直呆在自己的店里，躲在钢栅栏后工作，我心里就觉得很难过。

很多聪明的“S”在他们精疲力竭之前，即高峰时期会将他们的企业卖给某个有精力和资金的人。他们休息一段时间后，会开始新的事业。他们一直在做自己的事情，并且热爱这种生活。但是，他们必须清楚何时应该退出。

给孩子们的最差建议

如果你是在1930年以前出生的，那么“上学，考高分，然后找份稳定有保障的工作”是个好建议。但是如果你是在1930年以后出生的，那么这可不是个好建议。

为什么呢?

答案是：1.税收；2负债。

对于那些在“E”象限中工作挣钱的人们来说，实际上没有什么税收漏洞可钻。今天的美国，做一名雇员就意味着你是一个与政府进行对半分红的合伙人，政府最终将拿走雇员收入的50%或者更多，而且这部分钱中的大部分甚至是在雇员看到工资单之前就被拿走了。

当考虑到政府的税收漏洞只会使你进一步陷入债务危机中时，通往财务自由的道路对大部分“E”和“S”象限中的人来说，实际上是不可能的。我经常听到会计师们对在“E”象限中挣到更多钱的客户说，他们应该去买一所更大的住房，以便他们能够获得较大的税收减免。或许这种做法对于处在现金流象限左侧的人们来说有点用，但是对于象限右侧的人们来说已经毫无意义。

谁纳税最多?

富人缴纳较少的所得税。为什么会这样呢?因为他们不是作为雇员挣钱。非常富有的人知道，最好的合法的避税方法是在“B”和“I”象限中创造收入。

如果人们在“E”象限中挣钱，那么他们惟一可钻的税收漏洞就是购买大屋，并增加负债。从现金流象限右侧来看，这种做法在财务上并不明智。对于象限右侧的人来说，这就等于说："给我一美元，我还你50美分。"

税收的好处

税收是现代文明的一种必然结果。当税收被加以滥用，失去控制时，问题就产生了。在未来的几年里，几百万在生育高峰时期出生的人将要退休。他们由纳税人变为领取社会保障金的退休者，这就需要征收更多的税来应付这种转变。由此美国和其他大国将出现经济衰退。有钱的人会去寻找那些需要他们的钱的国家，而不是留在因为他们有钱而"惩罚"他们的国家。

一个大错误

今年初，一个报社记者采访了我。在交谈中，他问我去年挣了多少钱。我回答说："约100万美元。"

"那么你交了多少税？"他问。

"分文未交，"我说，"这些钱是资本利得，我能无限地推迟纳税。我按照税法第1031项进行交易出售了三项不动产，我从来不碰钱，只是把它再投资到更大的财产上。”几天后，报纸上刊登出这样一篇文章：

“有钱人挣100万，并承认没有纳任何税。”

我确实说了类似的话，但是一些关键词被省略掉了，因此歪曲了这条新闻的真实含义。我不知道这名记者是心怀叵测，还是他不知道什么是1031交易条款。不管是什么原因，这是一个很好的例子，证明了不同象限的人有着不同的观点。我仍然要说，并不是所有的收入都是一样的，有些收入的确可以比别的收入少纳税。

多数人注重收入而不是投资

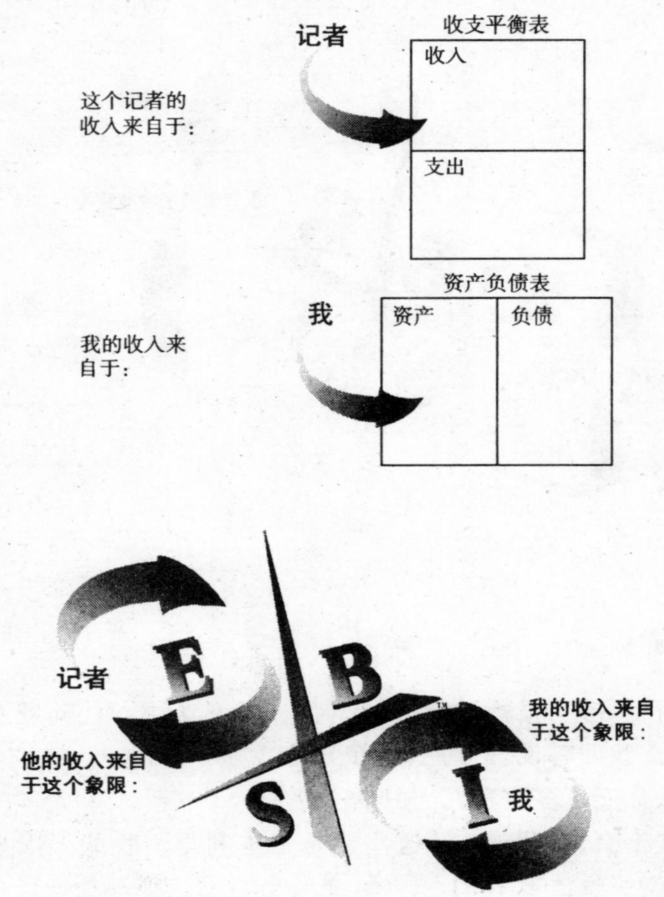

今天，我仍然听到人们说："我要回去上学，这样我才有机会提高工资"。或者："我得努力工作，这样才能得到提升。"

这是集中精力于财务报表的收入项目或者现金流象限的"E"象限的人所说的话或所持有的观点。说这些话的人将把增加收入的一半交给政府，并且为此更加努力和更长时间地工作。

在下面的章节中，我将解释现金流象限右侧的人是如何将税的部分转化为资产的，而不是像象限左侧的人那样只是将税作为他们的负债。这样做不是不爱国，而是要教给人们如何做到合理合法地留住尽可能多的钱。

迅速变富

我妻子和我要想比较快速地从无家可归的境况达到财务自由，就需要在"B"和"I"象限中工作挣钱。只有在右侧的象限中，你才有可能迅速变富，因为在这里你能合法避税，从而留下更多的钱，通过让这些钱为我们工作，我们很快获得了财务上的自由。

如何获得财务自由

税收和负债是大多数人永远感受不到财务安全或财务自由的两个主要原因。通向财务安全或自由的路径位于现金流象限的右侧，但是在那里你会远离职业的保障。现在你需要了解职业保障、财务安全与财务自由之间的区别。

它们的区别是什么

1. 职业保障；
2. 财务安全；
3. 财务自由。

如你所知，我的有学问的爸爸，像他那个年代的大多数人一样注重于职业保障。他认为，有职业保障就意味着财务安全……直到他丢了工作并且无法再找到工作时，他一直是这样想的。我的富爸爸从来不谈论职业保障，相反，他谈论财务自由。

要获得你所渴望的那种安全或自由，我们可以先观察一下现金流象限的各种模式：

1. 职业保障型模式

这种模式的人通常善于完成他们的工作。很多人花了多年时间读书，又花了多年时间工作以获得经验。问题是他们几乎不了解“B”象限或“I”象限。即使他们拥有退休金计划，他们在财务方面仍没有安全感，他们接受的培训只是为了获得职业保障或专业保障。

两条腿比一条腿好

要想在财务上变得更安全，我建议：除了在“E”或“S”象限中工作外，人们应该学会在“B”或“I”象限中工作。有了能够在象限两边成功工作的信心，人们就会感到很安全，即使他们手中的钱很少。知识就是力量……他们所要做的就是等待机会运用他们的知识，然后赚到钱。

这就是为什么造物主给我们两条腿的原因。如果我们只有一条腿，我们会感到不稳定和不安全。有了两个象限中的知识，一个在左，一个在右，我们将会觉得更安全。只了解自己的工作或专业的人只有一条腿，每当经济波动时，他们都会比有两条腿的人摇摆得更加厉害。

2. 财务安全模式

“E”的财务安全模式图如下：

这个环形说明，这一类人不只是把钱存入退休金账户并期待着最好的结果，他们相信他们所受的教育会使他们既成为投资者，又成为雇员。正如我们在学校里学习一种职业技能一样，我建议你们试着去学习成为一名专业投资者。

那名记者对我用资产项目挣到了100万美元，并且不纳任何的税深感不满，但是他就是不问一问："你是怎么赚到100万的?"

对我来说，这是一个真正的问题。合法避税很容易，挣100万却不那么容易。

通往财务安全的另一条路径是：

对于"S"，财务安全模式图如下：

这是托马斯·斯坦利的《邻家的百万富翁》中所描写的模式，《邻家的百万富翁》是一本很优秀的书。一般来说，美国的百万富翁都是自由职业者，生活节俭，长期进行投资。上面的模式反映了这样的财务生活路径。

这条路径，即从“S”到“B”，通常是许多伟大的企业家，如比尔·盖茨所采用的。这不是一条最容易的路径，但我认为，这是最好的路径之一。

两个好于一个

学会在多个象限中工作，尤其是一个在左，一个在右，要比仅在一个象限中工作好得多。在第二章，我列举了一个事实，即平均来看，富人收入中70%来自象限右侧，30%来自象限左侧。我发现，无论人们挣多少钱，如果他们在多个象限中工作，就会觉得更安全。要获得财务安全就得安全地把脚放在象限的两侧。

富有的消防队员

我有两个朋友，分别在现金流象限的两侧取得了成功。他们既享有很多福利及职业保障，同时在象限右侧也获得了巨大的经济财富。他们俩都是为市政府工作的消防队员，有不错的稳定的收入，很好的福利和退休金计划，并且每周只需工作两天。每周另外三天时间，他们作为职业投资者进行工作。最后的两天，他们休息，与家人和朋友在一起。

其中一个朋友买了一处旧房子，他把房子修好，然后租出去。在我写这本书时，他已经拥有45所房屋，扣除负债、税收、维修费、管理费和保险费后，每月净收入1万美元。作为消防队员，他每月挣3,500美元,因此他的月总收入超过1.3万美元,年收入约为15万美元,而且这个数字还在增加。他离退休还有5年多时间，他的目标是在56岁时年收入达到20万美元。对于一个有4个孩子的政府雇员来说，情况并不太坏。

另一个朋友把时间花在分析公司业绩、赚取股票和期权的长期差价上。他的资产组合现在已经超过300万美元。如果他把它们都换成现金，每年收取10%的利息。在排除市场发生重大变化的情况下，他的年收入将为30万美元,而且终生不变。这对于一个只有两个孩子的政府雇员来说，情况很不错。

这两位朋友将从他们20年的投资中获得足够的资本收入，一直到40岁退休……他们也都喜欢他们的工作，并且想在退休时，从地方政府那里领取丰厚的福利金。到那时，他们将会很自由，因为他们将享受到在象限两边同时获得成功所带来的收益。

钱本身不能带来安全

我遇到过很多人，他们的退休账户中有几百万美元，但是他们仍然感到不安全。这是为什么呢？因为这是来自他们的工作或企业的钱。他们通常把钱投在一个退休账户中，但是不知道用来投资，因此这笔钱始终无法变成固定的现金流。古语说：坐吃山空，如果这笔钱用完了，或失去了工作，他们该怎么办?

3. 财务自由模式

这是我的富爸爸所推荐的模式，它是通向财务自由的途径。这是真正的财务自由，因为在“B”象限中，人们为你工作，而在“I”象限中，你的钱为你工作。你可以自由地挑选有兴趣的工作或者干脆选择不工作。拥有这两个象限的知识会使你获得完全的财务自由。

如果你观察那些特别有钱的人，你会发现这是他们在象限中的模式。围绕“B”和“I”的环形显示出微软的比尔·盖茨、传媒大享莫多克，哈斯韦公司的沃伦·巴菲特和罗斯·帕洛特的收入模式。

不过要小心，“B”象限与“I”象限大不相同。我见过很多成功的“B”以几百万美元的价格卖掉他们的企业以求获得新的财富。他们认为他们拥有的美元代表了他们的财商水平，所以匆忙转向“I”象限，并把钱全部赔掉。其实所有这些象限的游戏规则都是不同的……因此我始终强调多维教育。

路径的选择

人们可以选择不同的财务路径，但遗憾的是，大多数人仅选择职业保障路径。当经济开始波动时，他们通常更加依赖职业保障，他们终生都在寻求职业保障。

但我仍建议至少应掌握一些财务安全的知识，即：对你的工作和你在任何时候的投资能力充满自信。一个很重要的秘诀是，真正的投资者在不利的市场中挣到的钱更多。他们能挣到钱，是因为非投资者在他们应该买进的时候匆忙卖出。因此我并不担心可能到来的经济变动……因为变动将意味着财富的转移。

你的老板不能使你富有

频繁发生的经济动荡部分是由于公司的收购与兼并引起的。最近，我的一位朋友卖掉了他的公司，在这次交易中，他获得了1,500万美元,而他的雇员却不得不另找新的工作。

告别晚会充满着悲伤的气氛，但也隐藏着极端的气愤和憎恨。虽然多年来他给员工们的薪水很高，但是大部分人的财务状况并没有得到改善。很多人认识到，多年来当他们挣工资、付账单时，公司的老板却变得富裕起来。

事实也正是如此：老板的工作不是使你富裕，而只是确保你得到工资。致富是你自己的工作，如果你有这样的意愿的话；并且这个工作应开始于你接受工资单的那一刻。如果你理财的技能很糟糕，既便是全世界的钱也救不了你；如果你理财有方，并且学习到“B”和“I”象限的知识，那么你将获得巨大的个人财富，还有最重要的财务自由。

我的富爸爸过去常对他的儿子和我说，“富人和穷人之间的惟一差别就是他们在闲暇时间里所做的事情。”

我同意这种看法。我发现人们比以前更忙碌了，自由的时间也越来越少。然而，我建议，如果你一定要忙碌，那么就在象限的两边同时忙碌，以便有更好的机会去最终获得更多的时间自由和更多的财务自由。当你工作的时候，请努力工作，不要在上班时间阅读《华尔街日报》，这样，你的老板将会更加欣赏你、尊敬你。下班后，你用你的薪水和闲暇时间所做的事情将决定你的未来。如果你坚持在象限右侧努力工作，那么你就有机会获得自由。

我所推荐的道路

位于象限左侧的人们总是问我："你有什么建议？"我所要建议的道路是我的富爸爸建议给我的道路。这种道路也是罗斯·帕洛特、比尔·盖茨和其他类似的人所选择的道路。这种道路如下图所示：

我偶尔会听到这样的抱怨，"我也想当投资家呀。"

对此我这样回答，"那么请去'I'象限。如果你有足够的钱和很多的自由时间，那么请直接进入'I'象限。但是如果你的时间和金钱并不是很多，那么我推荐另外一条道路，从'S'到'I'

更为安全。”

大多数情况下，人们没有足够的时间和金钱，所以他们这时会问另外一个问题，“为什么你建议先要到‘B’象限呢?”

对这个问题的讨论通常需要大约1个小时的时间，因此在这里我不讨论它。但是我将用下面的几句话概括出我的理由：

1. **经验和教育** 如果你首先在“B”象限中获得成功，那么你将有更大的可能成为一个有影响的“I”。

“I”投资于“B”。

如果你首先通过实践具备了一定的商业意识和商业知识，你将成为一个很好的投资者，并且你将能慧眼识别出其他的好的“B”。真正的投资者只在拥有稳定企业系统的成功的“B”身上投资。在“E”或“S”身上投资是有风险的，因为他们不知道系统同产品之间的差别……或者他们缺少优秀的领导技能。

2. **现金流** 如果你拥有一家企业并且运作良好，那么，此时你应该有多余的时间和现金流支持你在“I”象限的活动。

我多次遇到“E-S”象限中的人，他们的现金非常紧张，承受不起任何财务损失。市场一波动，他们就会破产，因为他们的财务一直处在“红线”档。

事实是，投资是资本和知识的聚集，但获得这种知识需要大量的资金和时间。很多成功的投资者在成功之前都失败过多次。成功者知道，成功是一位贫乏的教师，知识只有在犯错中才能学到。但在“I”象限中，错误的代价是金钱。如果你缺少知识和资本，那么试图成为投资者无异于在财务上的自杀。

通过掌握成为优秀的“B”所需要的技能，你还能为成为一名好的投资者提供所必需的现金流。作为“B”，你创立的企业将为你提供现金支持，正如你获得的教育为你成为一位好的投资者是供支持一样。一旦你获得了成为一名成功的投资者所需要的知只和技能时，你就会理解我说的“挣钱并不总是要先花钱”这句舌。

好消息

有一个令人振奋的好消息就是现在在“B”象限中获得成功要比以前容易。就像技术进步使许多事情变得容易一样，技术也使在“B”象限中获得成功变得更加容易。虽然这不像找一份最低工资的工作那样轻松，但是各种系统正在使越来越多的人获得“B”象限中的财务成功。

第四章

商业系统的三种类型

在进入“B”象限时，请记住你的目标是拥有一个系统，并让人们通过这个系统为你工作。你可以亲自发展这个企业系统或者收购一个系统，并把这个系统看成是将使你安全地从现金流象限的左侧迈向右侧的桥梁——你的通往财务自由的桥梁。

目前，有三种主要的经常使用的企业系统，它们是：

1. 传统的C型企业——是由你自己发展起来的系统
2. 特许经营权——购买现存的系统
3. 直销——购进并成为现存系统的一部分

每种类型都有自己的优点和缺点，但是每种类型最终都是在做相同的事情。如果运行良好，每种系统都将提供稳定的收入流，且不用企业主花太多的体力和精力……问题是如何让它运行良好。

1985年，当人们问道“为什么你们无家可归”时，我太太和我只是说，“因为我们在试图建立一个企业系统”。

这是一个由传统的C型企业和特许经营权混合而成的企业系统。如前所述，“B”象限需要对系统和对人的了解。

我们决定发展我们自己的系统，这意味着要付出很多艰苦的努力。我以前也曾尝试过，虽然公司成功运作了几年，但是在第5年公司却突然破产了。当成功走向我们时，我们却没有准备好一个完善的系统来迎接它。虽然我们有努力工作的员工，但是这个系统还是停止了运转。当时的我们就像坐在一艘豪华的游艇上，但是这个游艇有一个裂缝，所有的人都在努力寻找这个裂缝的位置，但是找不到。而我们又无法很快地把漏进来的水弄出去，以便发现裂缝并去修复它，况且即使我们发现了裂缝，也不能保证我们一定能修好它。

“你可能会先失去两三个公司”

在我念高中时，我的富爸爸告诉他的儿子和我，在他20多岁的时候，他赔掉了一个公司。“那是我一生最好也是最坏的经历，”他说，“我为此痛苦过。但是通过重新修整并且最终使新的公司取得成功使我学到了更多的东西。”

当知道我要开创自己的公司时，富爸爸对我说：“你可能在建立一个成功的公司之前，会先失去两三个公司。”

迈克，他的儿子，将接管他的商业帝国。因为我的父亲是一名政府职员，所以我不可能继承一个帝国，我必须建立我自己的帝国。

成功是一位贫乏的教师

"成功是一位贪乏的教师，它能教给你的东西很少。"富爸爸总是这样说，"我们在失败的时候，学到的东西最多。因此不要害怕失败，失败是成功之母。没有失败，你不可能成功。那些不成功的人是永远没有失败过的人。"

或许这是一句实现自我过程的预言。1984 年，我关闭了第三家公司。我挣了几百万，也损失了几百万，当我遇到我太太时我正打算卷土重来。我知道她嫁给我不是为了我的钱，因为我当时根本没有钱。当我告诉她我的打算即开创第四家公司时，她留了下来。

"我和你一起建立它，"她回答说，而且她这样做了。结果我们两人和另一位合伙人建立了一个在全球有 11 家分公司的企业系统。现在，无论我们工作与否，它都能为我们创造收入。从一无所有到拥有 11 个分公司，花了 5 年的血汗和泪水……但是它成功了。两个爸爸都为我高兴，真诚地祝贺我（他们在我以前创办公司的试验中都赔了钱）。

难办的事情

迈克，我富爸爸的儿子，经常对我说："我永远也不会知道我是否能做你和我爸爸所做过的事情。这个系统是爸爸传给我的，我所要做的事情就是学会如何经营它并发展它。"

我确信，他能够成功地发展他自己的企业，因为他向他爸爸学得很好。然而，我明白他的意思。从策划开始，创建公司所遇到的困难在于你有两大不确定因素：系统和建立系统的人。如果人员和系统都有漏洞，失败的可能就非常大。可有时很难确切地分辨出问题究竟是出在人员落后上，还是系统落后上。

在特许经营权之前

在我的富爸爸教我如何成为“B”时，只有一种企业，就是大型企业——能主宰整个城镇的大型企业。在夏威夷，蔗糖种植园在我们的城镇中控制着一切……包括控制其他的大企业。因此大型企业和“S”型的小企业之间没有什么共同之处。

在这些大蔗糖种植园的高层任职不是富爸爸和我这样的人的目标。因为当时在这个领域中工作的大多都是日本人、中国人和夏威夷人，然而由于某些原因他们永远也不会成为董事。富爸爸通过不断尝试和犯错误，学会了他所需要知道的一切事情。

在我开始读高中时，我们开始听说“特许经营权”这种事物，但是没有一个这样的企业来到我们的小镇，我们没有听说过麦当劳或肯德基。在我跟富爸爸学习时，我们的词汇表中还没有这些词。传闻说它们是“非法的、骗人的阴谋，并且是危险的”。一听到这些传闻，富爸爸就飞往加利福尼亚，去查明真相，而不是简单地相信这些闲言碎语。然而当他回来时，他所说的第一句话就是“特许经营将是未来的潮流”，并且他立刻购买了两份这样的经营权。随着特许经营权概念的流行，富爸爸的财富急剧增加，他还向别人出售他的经营权，以便别人也能够创办自己的企业并获得财富。

当我问他是否我应该从他那儿买一份经营权时，他只是说：“不用，你已经学习了很久关于如何建立自己的企业系统，不要停下来。特许经营权是为那些不想知道或者不知道如何创建自己的系统的人准备的。而且，你也没有25万美元能够从我这儿买走一份经营权。”

今天，很难想像城市的街角没有麦当劳、汉堡王或者必胜客。然而，不久以前，它们还不存在，那时我已足够大，能够记住那些日子。

如何学习成为“B”

我是通过做富爸爸的学徒来学习如何成为“B”的。他的儿子和我都是从“E”开始学习做“B”的，而且这是很多人的学习途径，现在把这叫做“在职培训”。这也是很多权力集中的家族企业得以代代相传的法宝之一。

问题是，并不是很多人都有资格或者足够幸运能够学到作为“B”的“隐藏在幕后”的各个方面。大多数企业的“管理培训计划”只是把你培养成一名经理，很少有企业培训你成为“B”。

通常，人们在迈向“B”象限时停留在“S”象限中。这主要是因为他们没有能够开创一个足够强大的系统，结果他们自己成为一个系统中的一个必要组成部分，而成功的“B”开发的系统没有他们的参与也将正常运转。

有两种途径可以迅速地成为“B”。

1. **找一位导师** 我的富爸爸是我的导师。导师应该是一个已做过……并且成功地做了你想做的事情的人。不要找一位建议者，建议者只能凭设想告诉你如何去做，因为他本人没有做过。大多数建议者都位于“S”象限，并且现在到处都是“S”在试图告诉你如何成为“B”或“I”。我的富爸爸则是一位真正的导师，而不是一名建议者。我的富爸爸给我的最好的教诲之一是：“小心接受别人的建议。虽然你必须保持思想开放，但是你一定要先搞清楚这条建议是来自哪个象限。”

我的富爸爸教给我有关系统的知识和如何成为领导者而不是管理者的知识。经理通常把他们的下属看成是不如他们的人，而领导者必须指挥那些通常是更为聪明的人。

如果你想读一本有关创办企业的入门好书，那么米歇尔·盖博的《E之谜》是一个选择。对于那些想发展自己的系统的人来说，这本书非常有益。

要想学习大公司里的各种系统可以选择在一所名牌学校获得MBA学位，然后找份迅速通往公司顶层的工作。MBA学位是很重要的，因为你可以学到会计学的基础知识，知道财务数字与企业系统的关系。然而，拥有MBA学位并不意味着你一定有能力经营好各种系统，而这些系统恰恰是构成一个完整的企业系统所不可或缺的部分。

要学习一个大企业拥有的所有系统，你需要在企业中花费10到15年的时间了解这个企业的各个不同方面。然后，你应该准备好离开，并开始开办你自己的企业。为一个成功的大企业工作就好比由你的导师给你开工资。

即使有了导师和几年的经验，但这第一种方法仍要付出大量的劳动。创办自己的系统需要多次的尝试和失败，付出大量的前期法律成本，以及策划实践。但在做这些工作时你也在形成你自己的人员队伍。

2. **特许经营权**　学习系统知识的另一种途径是购买特许经营权。当你购买特许经营权时，你是在购买一个“已被验证过的”运行良好的系统。现在有很多优秀的特许经营。

通过购买特许经营权系统，而不是努力创办自己的系统，能让你集中精力开发你的员工队伍。在你学习如何成为“B”时，购买系统排除了一个重要的不确定性因素。许多银行愿意贷款给特许经营企业，而不愿意贷款给小的新成立的企业，就是因为这些银行了解系统的重要性以及使用好的系统创业将会降低经营风险。

在你购买特许经营权时，要注意这样一件事。请不要成为只想做“自己的事情”的“S”。如果你购买的是一个特许经营权系统，就要成为“E”，要严格按照别人告诉你的方式去做。没有什么是比特许经营权的被授权人和授权人一同出现在法庭上更为可悲的了。这种不该发生的争斗通常起因于购买特许经营权的人想按照自己的方式经营企业，而不是按照创办这个系统的人所要的方式去做。如果你想做自己的事情，那么请在你控制了系统人员之后再进行。

我的有学问的爸爸经营特许经营店没有成功。他曾购买一有名的高级冰激淋特许经营企业，虽然系统是优秀的，但企业是失败了。以我的观点，失败的原因是，他的合伙人都是“和“S”，他们不知道当事情变糟时应该做什么，而且也不去向公司寻求帮助。结果是合伙人内部发生了争执，企业破产倒他们忘记了，一个真正的“B”不只是有一个系统就行，它还要有优秀的人去操作这个系统。

银行不把钱借给没有系统的人

如果银行不给没有系统的小企业贷款，那么你该怎么做几乎每天都有人来找我，向我谈论他们的商业计划和由此挣钱愿望。

大多数情况下我拒绝了他们，原因只有一个，想挣钱的人不知道产品和系统之间的区别。我有一些朋友（一个乐队的手）想让我投资发行一张新的音乐CD，另一些人想让我帮助立一个非赢利机构来改变世界。我可能喜欢这个计划、产品或本人，但是如果他们有很少或者根本没有创办和经营商业系统经验，我将拒绝他们。

这是因为，你能唱歌或者有一个伟大的愿望并不意味着你解营销系统、财会系统，以及销售系统、人力资源及人员流动统、法律系统等等其他许多系统，而这些系统都是企业生存和功所必需的。

一个企业要想生存和发展，所有这些系统都需要发挥作用并负起责任。例如：

一架飞机是一个由多个分系统构成的系统，但当飞机起时，任何一个系统出现故障，都有可能引发飞机失事。在商业域中情况也是一样，并且通常不是你了解的系统发生了问题，是你不了解的系统导致你失败。

人体也是一个由多个子系统构成的系统。大多数人都曾失去过他们所爱的人，而这往往只是由于他们身体中的一个系统不能工作——例如血液系统出现障碍，引发疾病并扩散到所有其他系统所导致的。

所以，建立一个被验证过的真正的商业系统并不容易，因为你忘记或者没有注意到的系统将导致你的坠落和毁灭。这也是我很少投资于仅仅有新产品或新想法的“E”或“S”的原因。职业投资者愿意投资于被验证过的系统，并且这个系统要拥有知道如何操作它的人。

因此，如果银行只把钱贷给被验证过的真正的系统，并寻找能够经营它们的人，那么你也应该做同样的事情，如果你想成为聪明的投资者的话。

个人的特许经营企业

因此，我建议人们考虑网络营销。很多著名的特许经营权价值 100 万美元或者更多。而网络营销类似购买个人的特许经营权，但价格一般不到 200 美元。

我知道大部分网络营销需要辛苦的工作，但是要知道在任何象限想取得成功都需要辛苦的工作。我个人没有做网络营销，但我已经研究了几家网络营销公司和他们的佣金计划。在我做研究的过程中，我确实介入了几家公司，这是因为他们的产品非常好，我作为顾客来消费这些产品。

然而，如果我给你一个建议，帮助你去找一家好企业使你迈向象限的右侧，那么我的建议是关键问题不是该企业提供的产品而是该企业能够提供什么样的教育。有些网络营销企业仅对你向你的朋友们推销他们的系统感兴趣，而有些企业则主要致力于教育你并帮助你获得成功。

从我对网络营销的研究来看，我发现有两件重要的东西你能从他们的计划中学到，而这两件事情对你成为成功的“B”来说是必要的：

1. 要想成功，你需要克服对被拒绝的恐惧，并且不去考虑他人对你的评价。我经常遇到一些人，他们畏缩不前，只是因为他们担心如果他们做不同的事情，他的朋友们会怎么说。我很了解他们，因为过去我也是这样。在一个小城镇里，每个人都知道其他人要做什么，如果有人不喜欢你正在做的事情，整个城镇都会知道，并且会有人跳出来干涉你。

我反复对自己说的最好的一句话是，“你对我的看法与我无关，最重要的是我怎样看我自己。”

我的富爸爸曾鼓励我在施乐公司干推销，我在那儿干了4年，这不是因为他喜欢复印机，而是因为他想让我学会克服我的羞怯和对被拒绝的恐惧。

2. 学会领导别人。与各种不同类型的人一起工作是企业里最困难的事。我所遇到的在任何企业中都很成功的那些人是天生的领导者。与人和睦相处并激励他人的能力是一项非常宝贵的技能，而这种技能是完全可以学会的。

如我所说，实现从左象限向右象限的转变不在于你做什么，而在于你必须成为什么样的人。学会如何面对拒绝，如何不受他人意见的影响，以及学会领导他人，你将有望成功。因此，我会与任何一家网络营销企业签约，只要他们首先承诺把我作为一个人才来培养，而不是把我变成一个推销员。

我会找这样的一些企业：

1. 一个有成功的成长记录、有分销系统和多年来都很成功的佣金计划而且被反复验证过的企业。
2. 具有你能够由此获得成功，值得信赖并可充满自信地与他人分享的商业机会。

3. 具有持续的长期教育计划，把你作为一个人才来培养。
4. 具有严格的导师计划。你要向领导者而不是建议者学习，向那些已在象限右侧做领导者并希望你成功的人学习。
5. 有你尊敬并乐意与之相处的人。

如果一个企业满足以上5个标准，这时你还要看一下他们的产品。太多的人只看产品不看企业系统，而且在看了产品之后观察企业。在一些被研究的企业中，有些企业认为，“产品就可推销它自己。”如果你想成为一名推销员，一位“S”，那么产品是最重要的因素。但是如果你想长期地成为“B”，那么系统、受益终生的教育，以及人是更为重要的东西。

我的一位朋友及同事在这个行业中很有名气，他提醒我注意时间价值，时间是我们最宝贵的财产之一。在网络营销公司中，真正的成功意味着你在短期内付出的时间和努力带来了巨大的长期的稳定收入。一旦你建立了一个很好的企业，你就能停止工作，而你的收入流则因你的企业继续产生。一个网络营销公司成功的关键是你及你的企业的长期承诺，即把你塑造成你所期望成为的企业领导者。

系统是通向自由的桥梁

我不想重提我曾经无家可归的经历，但是对于我太太和我，这段经历非常珍贵。今天，我们获得了财务上的自由和安全，不是因为我们拥有什么，而是因为我们知道我们能创造出什么。

从那时起，我们创立了并发展了一家不动产公司，一家石油公司，一家采矿公司和两家教育公司。在这段时期我们学会了如何创立一家成功的企业，这使我们受益匪浅。但是，我并不是建议每个人都去经历这种生活，除非他们真的想“我必须这样做”。

直到几年前，在“B”象限中获得成功的人还只是那些勇敢或富有的人。我太太和我必须勇敢，因为我们原本并不富有。如此多的人停留在象限左侧，就是因为他们觉得开创企业的风险太大了。对于他们来说，找一份稳定而有保障的工作更为明智。

今天，由于技术进步，成为一位成功的企业主的风险大大地降低了……而且对于任何人来说，都有机会拥有自己的企业系统。

特许经营权和网络营销省略掉了开创企业的艰苦阶段。你在获准进入一个已被验证过的系统后，剩下的工作就是发展你的员工。

把这些企业系统看成是一座桥梁，一个使你安全地从现金流象限左边迈向右边的桥梁……一个通往财务自由的桥梁。

下一章，我将要对象限右侧的第二部分，“I”，即投资者进行描述。

第五章 投资者的7个等级

我的富爸爸曾经问我："你认为赌马的人和炒股票的人之间有什么区别?"

"我不知道。"我回答说。

"没有什么区别，"他回答说，"所以你不要做炒股票的人，你长大后应该成为发行股票的人。所有股票都由经纪人出售，然后由其他人来购买。"

很长时间，我不明白富爸爸的话到底是什么含义，一直到我开始教别人如何投资，我才真正了解了投资者的不同类型。

本章我要特别感谢约翰·伯利，约翰被认为是不动产投资领域里最聪明的人之一。他在他最后的20多年和早期的30多年里，没花自己1分钱，购买了130多所住宅。他在32岁时就已经实现了财务自由。

随后，和我一样，他也选择了教育事业。他的知识不仅仅局限于不动产，他作为一名财务计划师开始了他的职业生涯，因为他对财务和税收领域有着深刻的了解，并且他有一种独特的能力能将这些方面的知识解释清楚。他具有领会复杂事物或抽象事物并使之易于理解的天赋，在教更多的人投资的过程中，他根据投资者对投资的精通程度和他们个性特征的差异，将投资者分成了6种类型。我将他的分类方法稍作修改，扩展为7种类型。

我用这种分类方法并配合现金流象限来讲解投资者的世界，

当你读到这些不同的等级时，或许你会想起某个人，因为他就处在那个等级上。

选择性的学习练习

在介绍完每个等级后，我都留下空间，你可以填上一个名人或者一些名人，依你的判断，他们处在哪个等级。当你发现你自己的等级时，你可能也想把你的名字写上去。

就像我所说的那样，这仅是一个选择性的练习，目的是增加你对不同等级的理解，而不是低估或贬低你的朋友。钱这种东西就像政治、宗教和许多别的东西一样灵活多变，因此，我建议你对你的个人想法保守秘密。每个等级后面的空格仅是为了加强你的学习，如果你选择使用它的话。

我通常在投资课程开始的时候使用这个名单。这使学习过程更有影响力，它使许多学生明白了自己正处在哪个等级，以及他们想要到达哪个等级。

得到约翰的许可后，这些年来，我依照我自己的经验修改了这些内容。下面请仔细阅读这七个等级。

投资者的7个等级

第0级：一无所有的投资者

这些人没有钱用来投资。他们不是花掉了他们挣来的每一分钱，就是花的比挣的还多。有很多"有钱"人会处在这个等级，因为他们花的钱和挣的钱一样多或者花的钱比挣的钱还要多。不幸的是，大约50%的成年人属于这个等级。

你认识0级的投资者吗？（供选择）

____

____

第1级：借钱者

这些人通过借钱解决财务问题，他们甚至还用借来的钱进行投资，他们的财务计划就是用彼得的钱付给保罗。他们的财务生活就像鸵鸟一样，将头埋在沙子里，希望并祈祷一切都顺利。当他们拥有一些资产时，而实际上是他们的债务水平提高了。对于这些人来说，他们对金钱没有意识也没有好的花钱习惯。

他们拥有的任何有价值的东西都与负债有关。他们无节制地使用信用卡，把债务转成长期家庭资产贷款，这样他们就能结算他们的信用卡，然后再次开始消费。如果他们的房价上涨，他们将再次使用房权贷款，或者购买一所更大更贵的房子。他们相信不动产的价值只会上涨。

那些“低首期支付，轻松每月支付”的广告词总是吸引他们的注意力。听了这些话，他们经常去购买容易贬值的玩意，如小船游泳池、汽车或者去度假。他们把这些容易贬值的东西看成是资产，到银行要求另一项贷款，同时他们奇怪为什么他们的状况变得很糟。

购物是他们喜爱的运动方式。他们购买他们并不需要的东西，并对自己说：“噢，买吧，你付得起”，以及“你应该得到”，“如果现在我不买它，我将永远看不到这么便宜的价格”，“这是减价商品”，或者“我要让我的孩子得到我从未有过的东西”。

他们想，把债务拖延很长时间是明智的。他们欺骗自己，相信自己将来会更加努力地工作，会在某一天付清他们的账单。因此他们花掉挣来的每一分钱，或者更多。他们是彻底的消费者。商店老板和汽车交易商喜欢这些人，如果他们有钱，就花掉它；如果没有，就去借。

当被问到他们的问题出在哪儿时，他们会说他们挣的钱不够多。他们认为更多的钱会解决这个问题，其实无论他们挣多少钱，他们都只会欠更多的债。大多数这样的人都没有意识到，他们今天挣到的钱在昨天对于他们来说是一份幸运或者是一个梦想，但是今天，即使他们得到了昨天作为梦想的收入，他们还是会觉得远远不够。

他们看不出问题不在于他们的收入（或者没有收入），而是在于他们的用钱习惯。一些人甚至认为他们的状况无法挽救，因而放弃了努力。结果，他们把头埋得更深，并继续做相同的事情。他们这种借钱、购物、消费的习惯失去了控制，就像狂食者在心情沮丧时没完没了地吃东西一样，这些人在心情沮丧时花钱。他们花钱，沮丧，然后花更多的钱。

他们经常因为钱与他们的爱人争吵，强硬地捍卫着自己购物的偏执欲望。他们生活在严重的财务灾难中，期望他们的财务问题会奇迹般地消失，或者假想他们总会有足够的钱满足他们的购物欲望。

这个等级的投资者通常看起来很有钱，他们有宽敞的房子，漂亮的汽车……但是如果你检查一下，会发现他们是用借来的钱购物。他们也可能挣很多的钱，但是他们随时会发生财务危机。

在我的班里，有一位学生曾是一位企业主，他正是这种“挣大钱，花大钱”的人。他曾拥有经营多年、生意兴隆的珠宝连锁店，但是一次经济衰退结束了他的企业，可他的负债还在。不到6个月，这些负债就使他不堪重负。他在我的班里寻找新的答案，但拒绝承认他和他妻子是第1级投资者。

他来自“B”象限，希望在“I”象限中获得成功。他坚信自己曾是一位成功的商人，并且能用同样的方式再走通往财务自由的路途。这是一个典型的例子，商人总是一厢情愿地认为他能自动地变成一位成功的投资者。事实上，商业规则并不总是与投资规则相同的。

除非这些投资者愿意改变，否则他们的财务前景是凄凉的……或者他们与某位有钱人结婚，而这个人必须要能忍受他的这些可怕的习惯。

你认识处在第1级的投资者吗？（供选择）

第 2 级：储蓄者

这些人通常定期地把一“小”笔钱放起来。这笔钱以低风险，低回报的方式保存，如货币市场的支票存款、储蓄存款或者大额存单。

如果他们有个人退休金账户，他们会把它存在银行或者共同基金的现金账户中。

他们储蓄通常是为了消费而不是为了投资（例如，他们攒钱买新电视、汽车、去度假等等）。他们相信现金支付，害怕信用卡和负债，他们喜欢把钱放在银行里的那种“安全感”。

甚至在今天储蓄带来负收益（除去通货膨胀和税收因素后）的经济环境中，他们也不愿去冒险。他们几乎不知道自从 1950 年以来，美元的价值已经跌了 90%，而且仍然在以高于银行利率的比率连年下跌。他们通常拥有终生人寿保险单，因为他们喜欢这种安全感。

这个等级的人经常浪费他们最宝贵的资产——时间，却去试图节省某一分钱。他们花几个小时从报纸上剪下赠券，然后在超市中，排着长队，笨拙地找到那些赠品。

如果不去努力地省钱，而把这些时间用来学习如何投资，若他们在 1954 年投 1 万美元在约翰·坦姆普林顿基金上并忘掉它，到 1994 年它的价值将达到 240 万美元。或者如果他们在 1969 年投 1 万美元在乔治·索罗斯的量子基金上，到 1994 年它的价值将达到2,210 万美元。同时，他们对安全感的强烈需求，也是出于恐惧，这迫使他们把储蓄用于低回报投资，如银行的大额存单项目。

你经常会听到这些人说，“节省 1 便士就等于挣到 1 便士”，或者“我为孩子们节省”。事实是某种深层次的不安全感支配着他们和他们的生活。其结果是，他们通常“少给了”他们自己和他们为之省钱的人，他们几乎与第 1 级的投资者完全相反。

储蓄在农业时代是个好观念，但是当我们进入工业时代时，储蓄就已经不再是明智的选择了。从美国政府抛弃金本位制，疯狂地印刷纸币，使我们遭遇通货膨胀时起，简单的储蓄已成为非常糟糕的投资选择。在通货膨胀时期，储蓄的人最终都成了赔钱者。当然，如果我们进入负通胀时期，他们将是大赢家……但条件是印刷的纸币仍然有价值。

有些储蓄是件好事，建议你们在银行中保持有可支付半年到一年的生活费的现金。但是在这之后，有比银行储蓄好得多也安全得多的投资工具。把钱放在银行并收取5%的利息，而让别人获得15%或者更多的收益，这种做法无论如何都不能说是一个明智的投资策略。

然而，如果你不愿意学习投资，害怕金融风险，那么储蓄是比其他投资更好的选择。如果你把钱放在银行里，你就不必想很多问题……你的银行家将会善待你。他们为什么不这样做呢？你储蓄1美元，由于派生存款，银行最后实际可向外贷出10到20美元，并收取高达19%的利息，反过来它只付给你不到5%的利息。我想，我们都应该试着成为银行家。

你认识处在第2级的投资者吗？（供选择）

____

____

第3级："聪明的"投资者

这组中有三种不同类型的投资者，该等级的投资者知道投资的必要性。他们可能参加公司退休计划401（K）、SEP、超级年金计划、养老金计划等等。有时，他们也进行外部投资，如共同基金、股票、债券或者有限合伙制。

通常，他们是受过良好教育的聪明人，占全国人口的三分之二，我们称之为"中产阶级"。但是，对于投资，他们却不甚精通……或者缺乏投资行业所说的"老练"。他们很少读公司年报，或者公司计划书。对于如何投资，他们没有受过训练，缺少财务知识，不会阅读财务报告。他们可能有大学学位，可能是医生或者会计师，但是很少有人接受过正规的投资培训和教育。

在这个等级的人又可分为三类。他们都是受过很好的教育，有丰厚的收入，而且从事投资活动的聪明人。然而，他们之间还存在着不同。

3-A级　这类人构成“我不能被打扰”组。他们确信自己弄不懂钱是怎么回事而且永远不会懂。他们会这样说：

“我不太擅长数字。”

“我永远不会知道投资是怎样运作的。”

“我只是太忙了。”

“我有太多的书面工作要做。”

“这太复杂了。”

“投资的风险太大”。

“我更喜欢把金钱决策留给专家。”

“有太多麻烦。”

“我丈夫（妻子）为全家管理投资。”

这些人只是把钱放着，很少关心他们的退休计划，或者把钱交给推荐“多样化”的金融专家。他们不考虑他们的财务前景，只是日复一日地努力工作，并对他们自己说，“至少我有一个退休金计划”。

当他们退休时，他们才会考虑他们的投资是如何做的。

你认识处在3-A级的投资者吗？（供选择）

____

____

3-B级　第二类型是“愤世嫉俗者”。这类人知道一项投资为什么会失败，身边有这些人是危险的。他们通常看起来充满智慧，说话具有权威性，在他们的领域里很成功，但是在聪明的外表下，他们事实上是懦夫。当你征求他们对股票或者其他投资的意见时，他们会告诉你，你到底是如何以及为什么在各种投资中“受骗”的。结果你会感觉极差，带着担心或者怀疑走开。他们最经常重复的话是："嗯，我以前被这样骗过，他们再也别想骗我了。"

"我的经纪人是美林银行的。"他们经常这样说，他们用名人的名字来掩盖他们内心的不安全感。

然而奇怪的是，这些愤世嫉俗者像绵羊一样温驯地跟随着市场。他们总是在工作时读财务记录或者《华尔街日报》，然后在喝咖啡的时候告诉其他人。他们的言谈中充斥着最新的投资行话和技术术语。他们谈论大额交易，但不参与其中。他们寻找第一版上刊登的股票信息，如果报道符合心意，他们通常就会购买。问题是他们买晚了，因为如果你从报上得到消息……那实在是太晚了。真正聪明的投资者是在成为消息之前就购买了，愤世嫉俗者却不知道这点。

当坏消息传来时，他们通常会抱怨道："我早就知道会是这样的。"他们总以为他们是游戏中人，但事实上他们只是旁观者。他们也想进入游戏，但很遗憾，他们是如此地害怕受到伤害。对他们而言，安全比游戏的乐趣更重要。

据心理学家们分析，犬儒主义是恐惧与无知的结合，它反过来产生自大。这些人通常在市场波动的后期进入市场，并等待人们或社会证明他们的投资决策是正确的。因为他们期待得到社会证明，所以当市场崩溃时，也会随着市场一样高买低卖，并把高买低卖标榜为再次"受骗"。他们如此害怕发生的这类事情……却一次又一次地发生。

愤世嫉俗者就是那些专业人士通常称之为"愚蠢"的人。他们尖叫个不停，然后跑进自己设下的圈套。他们高买低卖，为什么会这样？因为他们非常"聪明"又过于谨慎。他们聪明，于是害怕冒风险和犯错误，为此他们更加努力地学习，变得更聪明。他们知道的越多，看到的风险也越多，因此学习得也更加努力。他们犬儒主义式的谨慎使他们等待得太久，直至太晚。当他们的贪婪最终战胜他们的恐惧时，他们来到了即将从高峰跌入低谷的市场，和其他同类的人一同来到市场共赴绝境。

但是愤世嫉俗者最差劲的地方是他们装成智者并用他们内心

的恐惧影响身边的人。当谈及投资时，他们会告诉你，为什么事情进展得很糟糕，但是他们不能告诉你该怎么去做。在学术界、政界、宗教界和新闻界里到处都是这些人，他们喜欢听到关于金融危机或者坏事情的消息，这样他们就可以去四处“散布这些消息”。对于投资，他们实际上是一群指手划脚的人，他们很少称赞金融成功。愤世嫉俗者们发现挑别人的毛病很容易，这是他们掩盖无知或懦弱的最佳方法。

最初的愤世嫉俗者是受人蔑视的古希腊学派，因为他们骄傲自大，对美德和成功充满了鄙视。他们的绰号是犬人（愤世嫉俗这个词来源于希腊语“狗”这个单词）。一谈到金钱时就会有很多犬人出现……这些人很聪明，很有文化。小心不要让这些犬人粉碎了你的金融梦想，虽然金融领域的确充满着诡计和骗子，但是又有哪个行业不是这样呢？

不用花钱，不用冒险就迅速地致富是可能的，但条件是你必须亲自使之成为可能。你所需要做的事情之一就是要思想开放，同时警惕愤世嫉俗者和小人。他们在金融方面都是同样危险的。

你认识处在3-B级的投资者吗？（供选择）

____

____

3-C级　这种类型的人叫做“投机者”，职业交易商也称他们为“蠢人”。但是“愤世嫉俗者”是过于谨慎，而他们是不够谨慎。他们仔细观察股市或者任何投资市场，就像赌徒们紧盯着拉斯维加斯的赌桌一样，一切全靠运气。抛出骰子，然后祈祷。

这些人没有设定交易规则或准则。他们如同“大男孩”一样行事，总是假想，直到他们赢了或者全部输光，当然后者的可能性更大一些。他们寻找投资的“秘密”或“圣杯”，寻找新鲜刺激的投资方式。他们不靠长期的勤勉、学习和领悟，他们靠的是所谓的“内幕”、“暗示”或者“捷径”。

他们涉足商品、初期公开买卖、便士股票、汽油与石油、牲畜和任何其他人类已知的投资市场。他们喜欢使用“老练的”投资技术，如边际差价、卖方期权、买方期权。他们参加“游戏”，却不知道谁是玩家和由谁制定游戏规则。

这些人是这个世界上最差劲的投资者。他们总是试图来一个“本垒打”，结果他们自己却经常“出局”。当人们问他们怎样投资时，他们总是“含糊其辞”或者“有些局促”。事实上他们赔了很多钱，通常是一大笔钱。这种类型的投资者90%以上的时间是在赔钱。他们从不谈及他们的损失，只记得6年甚至更久前“赚”的那一大笔钱，他们认为自己很聪明，不认为仅有的几次“成功”只是走运罢了。他们认为，他们所需要的是等待“一笔大交易”，然后就会一路顺风了。社会上管这种人叫“不可救药的赌徒”。说到底，他们只是在投资问题上过于懒惰。

你认识，处在3-C级的投资者吗？(供选择)

第4级：长期投资者

这类投资者非常清楚投资的必要性，他们积极地参与自己的投资决策。他们会十分清楚地列出长期计划，并通过该计划达到他们的财务目标。他们在真正投资之前，会投资于他们的自身教育。他们利用周期性投资，并在任何可能的时候最大限度地利用税收的好处。最重要的是，他们向有能力的金融设计师征求意见。

请不要认为这种类型的投资者是那些花大时间用于投资的投资者，他们根本不是这样，然而令人疑惑的是，尽管投入的时间并不多，他们却正在投资于不动产、企业、商品，或者任何其他刺激的投资工具。而且，他们采用保守的长期策略，这种策略正是“忠实的马吉兰”基金的彼德·里奇或沃伦·巴菲特等投资家所推崇的。

如果你还不是一位长期投资者，那么你应尽快地成为这种人。这是什么意思？这就是说，你应该坐下来，制定一个计划，控制你的花钱习惯，最小化你的各种债务；用你的钱生活，并增加你的钱；弄清楚你将每月投资多少钱，用多长时间按实际回报率获得收益，以最终实现你的目标。目标应该是这样的：我计划在多少岁时停止工作？我每月将需要多少钱？

有了长期计划，你会减少你的消费负债，并把一小笔钱（定期地）放在一个绩效最好的共同基金上，只要你及早地开始并时刻监督自己的行为，那么在积累退休财富方面你将有个良好的开端。

如果你处在这个等级，那么你需要使投资简单化，不要频繁地改变花样。忘掉那些复杂的投资，只做绩效好的股票和共同基金投资，赶快学会如何购买封闭式共同基金，如果你还不会的话。不要试图超越市场，要聪明地使用保险工具，把它做为保护措施而不是积累财富的措施。先锋指数500基金在过去比三分之二的共同基金绩效要好，可以把这样的共同基金作为一种投资基准。10年后，这种基金给你的回报将超过90%的“专业”共同基金经理获得的回报。但是始终记住，没有“百分之百保险的投资”，指数基金同样有其固有的悲剧性缺点。

别再等待“大额交易”，试着通过小额交易进入“游戏”（就像我的第一笔投资，开始只投几美元）。先不要担心是对是错，开始做就行了。一旦你投了一些钱进去……仅仅用一小笔钱开始，你就会学到很多东西。钱可以迅速增加你的智力，恐惧和犹豫则拖延着你。你总有机会加入更大的游戏，但是你永远无法挽回你在等待做合适的事情或做大额交易时失去的时间和受教育的机会。记住，小额交易通常导致大额交易……但是首先你必须开始。

今天就开始，不要再等待。取消你的信用卡，卖掉“你的玩意”，买一份绩效好、不用贷款的共同基金（虽然，没有真正的“不用贷款”的基金）。和你的家人坐下来，制定一个计划，找来一位金融设计师或者去图书馆，读些有关金融设计的书，开始亲自管理你的钱（即使每月只有 50 美元）。你等待的时间越长，你的最宝贵最宝贵的资产——无形并且无价的时间资产就浪费得越多。

有趣的是，美国的大多数百万富翁都来自第 4 级。正如《邻家的百万富翁》这本书中所描写的，通常百万富翁们开一辆福特 Taurus 轿车，拥有一家公司，并用自己的钱生活。他们研究或者被告知有关投资的事情，他们有计划地做长期投资。他们不会去做那些让人眼花瞭乱、冒险和冲动的投资。他们非常保守，平衡性很好的财务习惯使得他们长期富有和成功。

有些人不喜欢风险，他宁愿集中精力于他们的专业工作或职业上，也不愿花大量的时间去学习投资。对于这些人来说，如果你想过一种成功富裕的生活，你必须成为第 4 级投资者。同时，征求金融设计师的建议非常重要，他们能够帮助你制定投资战略，使你在正确的轨道上开始长期投资。

这个等级的投资者富有耐心，善于利用时间。如果你早些开始，进行有规律的投资，那么你能创造出惊人的财富。如果你开始得太晚，过了 45 岁，那么这个等级将不再有效，尤其是从现在到 2010 年这段时期。

你认识处在第 4 级的投资者吗？（供选择）

____

____

第 5 级：老练的投资者

这些投资者“财力充足”，能够追寻更积极的或者更有风险的投资战略。为什么呢？因为他们有良好的财务习惯，坚实的财力基础和卓越的投资智慧。他们不是投资游戏中的新人。他们实行集中化，而不是通常的多样化投资战略。他们有长期连续的获胜记录，但也赔了很多钱，这给他们带来智慧，而这些智慧只能从犯过的错误中获得。

这些投资者经常进行“成批”而不是“零售”投资，他们把自己的交易整合在一起供自己使用。他们还会足够“老练”地去参与第6级的朋友们组织的交易，这些交易需要投资资金。

是什么决定人们是否“老练”呢？是他们拥有的雄厚的财务基础，这种基础来自于他们的职业、企业或者退休收入。此外还有他们拥有的坚实而保守的投资基础，这些人很好地控制着个人的债务/权益比率，这意味着他们的收入比支出多得多。他们在投资领域受过很好的培训，能积极地寻找新信息。他们谨慎，但不愤世嫉俗，始终保持开放的头脑。

他们将全部资产的不到20%用于投机性投资。他们通常在开始时投入很少的钱，这样他们能学会各种投资，如股票、企业取得权、不动产组合、购买抵押品等等。如果他们损失了这20%，他们也不会破产或者没钱吃饭。他们会把这次失败看成是一次教训，从中学习，然后再回到游戏中学习更多的东西，他们十分清楚，失败是成功过程的一部分。他们憎恨失败，但并不害怕失败，失败激励他们不断地前进和学习，而不是使他们跌入痛苦的深渊或向他们的律师求助。

如果人们很老练，那么他们能够创造自己的交易，并获得25%甚至无穷的回报。第5级人被认为是很老练，因为他们有多余的钱，招之即来的职业顾问小组和能够证实这点的历史记录。就像前面提到的，这个等级的投资者把他们的交易整合在一起。

就像有些人从零售商那儿购买电脑，而有些人购买元件，然后“攒出”一台自己的电脑一样，第5级投资者把不同的投资放在一起，组合成他们自己的投资。

这些投资者知道，运行不良的经济时期或市场为他们提供了最好的成功机会。他们在别人退出时进入市场，他们通常知道何时才真的应该退出市场。对于这个等级，退出战略比进入市场战略更为重要。

他们知道自己的投资“准则”和“规则”。他们选择的工具可能是不动产、贴现合同、企业、破产或者新发行的股票。虽然他们冒的风险大于普通人，但是他们憎恨投机。他们有计划并有具体的目标，他们每天都进行研究，读报纸，看杂志，订阅投资时事通讯，参加投资研讨班，积极参与投资管理。他们了解钱，知道如何让钱为他们工作。他们的主要目标是增加他们的资产，而不是只为了能挣多几块美元去花。他们把他们的利得用于再投资，形成更大的资产基础。他们知道强大的资产基础产生高现金收入或者高回报，而且税收最少，这将有利于形成巨大的长期财富。

他们通常把这些知识教给他们的孩子，把家庭财产以企业、托拉斯和合伙人制的形式传给后代。他们几乎没有个人财产，因为他们充分认识和利用着税收制度的好处，或者逃避罗宾逊准则，这条准则是向富人征收高额税收，然后把税收转移支付给穷人。但是，虽然他们不占有任何资产，但是他们通过企业控制着一切占有他们资产的法律实体。

他们有私人董事会为他们管理资产，他们接受董事们的建议并且不断学习。这个非正式的董事会由银行家、会计师、律师和经纪人构成。他们花一部分财产用于听取可靠的专家建议，这不仅增加了他们的财富，而且避免了来自家庭、朋友、法律诉讼和政府的各种麻烦。甚至在他们离开这种生活之后，他们仍在控制着他们的财富。这些人通常被人叫做“金钱管理员”。甚至在他们死后，仍然继续控制着那些钱的命运。

你认识处在第5级的投资者吗？(供选择)

____

____

第6级：资本家

世界上只有少数人能达到这个投资精英所在的等级境界。这种人通常既是优秀的“B”，又是优秀的“I”，因为他或她能够同时创造企业和投资机会。

资本家的目的是通过把别人的钱、别人的智慧和别人的时间和谐地组织在一起来为自己和他人赚取更多的钱。通常他们作为“发动者和引导者”，推动美国和其他大国成为金融强国。这些人好像肯尼迪家族、洛克菲勒家族、福特家族、吉蒂家族和帕罗特家族。正是这些资本家提供资金，用这些资金创造工作、企业和产品并使国家繁荣。

第5级投资者通常用他们自己的钱为自己的资产组合创造投资，而真正的资本家通过使用别人的智慧和财富，为自己和他人创造投资。真正的资本家创造投资，然后把它们卖给市场。真正的资本家挣钱不需要自己有钱，因为他们知道如何使用别人的钱和别人的时间。第6级投资者创造投资，他人则购买这些投资。

他们让别人富裕，创造工作机会，并使一些事情发生，当然前提是他们自己有利可图。在运行良好的经济时期，真正的资本家做得很好；在运行不良的经济时期，真正的资本家变得更富。资本家知道，经济混乱意味着新的机遇。他们总是在人们发现到机会的几年前早已参与使这种机会产生出来的项目、产品、公司或者国家的有关活动。当你在报纸上读到一个国家陷入了麻烦，或者爆发了战争或灾难时，你可以肯定，真正的资本家很快就会到那里，或者已经在那里了。当真正的资本家打算去那里时，大多数人却在说：“离远点儿。那个国家，那个企业正处在混乱中，风险太大了。”

真正的资本家能够期望获得100%甚至无穷多的回报，这是因为他们知道如何管理风险，没有钱时如何能够挣到钱。他们这样做是因为他们知道，钱不是一种事物，而仅是在人们头脑中被创造出来的一种概念。虽然他们同样有每个人都有的恐惧，但是他们利用这种恐惧并把它转化为刺激。他们把恐惧转化为新知识和新财富。他们生命中的游戏是用钱挣钱的游戏，他们喜欢金钱游戏胜过任何其他游戏……胜过高尔夫球、园艺等等，这种游戏赋予他们生命。无论他们赢钱还是赔钱，你都能听到他们说：“我喜欢这种游戏。”正是这点使他们成为真正的资本家。

与第5级投资者一样，这个等级的投资者也是优秀的“金钱管理员”。当考察这个等级的大多数人时，你常常发现他们对朋友、家人、教堂和教育十分慷慨。让我们看看那些创建了众所周知的教育机构的著名人物吧。洛克菲勒帮助创建了芝加哥大学，摩根不只是用钱影响了哈佛，其他资本家用他们的名字命名他们帮助创建的机构，这些人包括范德比尔德、杜克和斯坦福，他们不仅是伟大的工业领袖，而且对教育做出了巨大的贡献。

与许多聪明的愤世嫉俗者和批评家在我们的学校、政府、教堂和新闻中所说的相反，真正的资本家不仅是通过成为工业领袖，而且通过提供工作和挣很多的钱这些途径为社会做出贡献。要创造一个更好的世界，我们需要更多的资本家，而不是像很多愤世嫉俗者力图让你相信的那样，我们不需要资本家。

事实上，愤世嫉俗者远远多于资本家。愤世嫉俗者制造出更多的噪音，让大家处于恐惧之中，寻找财务安全而不是财务自由。正如我的朋友基思·坎宁安一直说的那样："我从未见过为一位愤世嫉俗者建造的雕像，或者由一位愤世嫉俗者创建的大学。"

你认识处在第 6 级的投资者吗？（供选择）

____

____

进一步阅读之前

至此，我们已完成了现金流象限的解释部分，最后部分描述了象限的"I"区域。在我们继续下一章之前，还有一个问题：

1. 你自己处在哪个等级？ ______________________

如果你真想迅速变富，请反复阅读这 7 个等级。每次我阅读这些等级时，都能看到所有这些等级中有一些符合自己的特征。我不仅认识到自己的优点，而且也认识到成功学家辛格·辛格勒所说的"性格缺陷"——阻碍着我前进的缺陷。通往巨大的金融财富之路就是要增强你的优点，克服你的性格缺陷。而要做到这一点，首先要认识到你的缺点而不是掩饰你的缺点。

我们都想成为最好的。大部分时间，我梦想成为第6级中的资本家，从我的富爸爸给我解释炒股的人和赌马的人之间的相同点时起，我就知道这才是我想成为的那种人。但是在学习了这7个等级后，我发现了阻碍我前进的性格缺陷。虽然我现在是第6级投资者，但我仍在继续反复阅读这7个等级，努力改进自己，使自己为一个佼佼者而不是一个普通的第6级投资者。

我在第3-C级中发现了自己的性格缺陷，它们总是在压力下显露出来。我身体内的投机冲动是好的，也是不好的。在妻子和朋友的引导以及进一步的学习后，我开始处理自己的性格缺陷并把它们转化为优点。作为第6级投资者，我的绩效立即改进了。

这里还有一个问题要问你：

2. 近期你想或者需要成为哪个等级的投资者？

如果你对第2个问题的回答与第1个问题相同，那么你正处在你想要呆的地方。如果你对你所在的位置很满意，那么就没有太大必要再读这本书。比如说，如果你现在处在第4级，并且不想成为第5级或第6级投资者，那么你不用再读下去了。生命中最大的快乐之一就是你对你的现状满意。祝贺你！

警　告

任何想成为第5级或第6级投资者的人，都必须先成为第4级投资者以发展他的技能。如果你想到达第5或第6级，不能简单地跳过第4级。任何没有第4级技能，并试图成为第5或第6级投资者的人，事实上都是一个第3级投资者……一个投机者！

如果你仍然想并且需要获得更多的财务知识，并仍对实现中你的财务自由感兴趣，请继续向下阅读。剩下的几章将主要集中讨论处在B和I象限中的人的性格特征。在这些章中，你将学会如何轻松而且不冒风险地从象限的左侧迈向象限的右侧。从左侧向右侧的转换将继续集中在无形资产上，而它们有可能在象限的右侧成为有形资产。

在开始下一章之前，我还要问最后一个问题：在不到10年的时间里，从无家可归到成为百万富翁，你认为我妻子和我应该处在哪个等级上？答案在下一章，我将提供我个人在通往财务自由的旅途中获得的一些学习经验。

第六章

你不能光用眼睛看钱

1974年末，我购买了我的第一批投资项目，一套位于怀基基边缘的小房子。这是一套价值5.6万美元的房子，带有双人卧室和单人洗澡间，这是一套非常好的供出租用的套房……我知道它很快就会被租出去。

我开车到我富爸爸的办公室，非常兴奋地向他显示这笔交易。他看了一眼文件，立刻抬头问我："你准备每月赔多少钱?"

"大约每月100美元。"我说。

"别傻了，"富爸爸说，"我没有看这些数字，但是我从这些文件中已看出你将损失得比这多得多。此外，你到底为什么投资明明知道会赔钱的东西?"

"嗯，这房子看起来不错，我认为挺值的。稍微粉刷一下，它就会跟新的一样。"我说。

"这还是不能说明问题。"富爸爸得意地笑道。

"好吧，我的不动产代理商告诉我，不要担心每个月赔钱，他说几年以后，这所房子的价格会翻倍，而且，政府会对我每月的损失提供税收减免。此外，这是一笔非常好的交易，我担心如果我不买，别人会去买的。"

富爸爸站起来，关上他办公室的门。当他这样做的时候，我知道我将要接受他的重要教诲。在这以前，我已经上过很多类似的课程。

“那么你每月将损失多少钱?”富爸爸再次问道。

“大约每月 100 美元,”我紧张地重复道。

富爸爸边浏览文件边摇头,教诲开始了。那天我学到的关于货币和投资的知识比我在过去 27 年里学到的还要多。富爸爸很高兴我采取主动并投资于房产,但是也明确地指出我犯了一些可能酿成一场财务灾难的毁灭性错误。然而,我从这次失败的投资中吸取的教训使我在以后的几年中赚到了几百万美元。

钱是用你的头脑来看的

“有些东西你的眼睛是看不到的,”富爸爸说,“不动产就是不动产,公司股票就是公司股票,这些东西你能看到,但是你看不出什么是重要的。决定某种东西是不是一项好投资的还有:交易、财务协议、市场、管理、风险因素、现金流、企业结构、税法和很多其他的事情。”

这时他开始分析这笔交易中存在的问题:“你为什么要付这么高的利率?你认为你的投资回报是多少?这项投资与你的长期财务战略吻合吗?你的房屋闲置率是多少?你的顶利率是多少?你检查了资产合伙人的背景吗?你计算管理成本了吗?你打算用多大比例计算修理费用?你知道这个城市刚刚宣布要在那个地区修路以改善交通状况吗?一条大道就要从你的房前穿过。居民们将要搬走,以躲开这个历时 1 年的工程,你知道这些吗?我知道现在市场看好,但是你知道是什么在驱动市场,商业经济还是贪婪?你认为这种趋势会维持多久?如果你的房子租不出去,你将怎么办?如果租不出去,你如何让你的房子和你自己生存下去?还有,是什么使你认为赔钱是笔好买卖?这是真正令我担心的事情。”

“看起来这不是一笔好买卖。”我有气无力地说。

富爸爸笑着站起来,握了握我的手。“我很高兴你采取行动,”他说,“大多数人想到了,但没有行动。如果你做事,你就会犯错误,而正是从错误中我们学到的东西最多。但是一定要记住，任何重要的东西事实上是无法在教室中学到的，必须要通过采取行动，犯错误，然后改正错误来学习。这时智慧才会产生。”

我觉得好受了一些，而且我准备学习。

“大多数人投资，”富爸爸说，“95%是用他们的眼睛，而仅有5%是用他们的大脑。”

富爸爸继续解释道，当人们购买一项不动产，或者一只股票时，通常是根据他们眼睛所看到的，或者经纪人所告诉他们的，或者一位同事的热情暗示来做出他们的决策。他们通常是用情感而不是理智进行购买。

“这就是为什么10个投资者中有9个赚不到钱，”富爸爸说，“虽然他们不一定赔钱，但是他们就是赚不到钱。他们只是收支平衡，赚些钱，也赔些钱。这是因为他们用眼睛和情感投资，而不是用他们的大脑投资。许多人投资是因为他们想迅速变富，他们最终不是成为投资者、而是成为梦想家、盲从者、投机者和骗子，到处都是这种人。现在让我们坐下来，回到你做的这笔赔钱买卖上，我将教你如何把它变成挣钱的交易。我要开始教你用你的大脑去看你的眼睛所看不到的东西。”

由差变好

第二天上午，我回到不动产代理商那儿，拒绝了这份协议并重新开始协商。这不是一个令人愉快的过程，但是我学到了很多。

三天后，我又去看我的富爸爸。价格没有改变，代理商得到了全部佣金，因为他应该得到它，他为此付出了工作。但是虽然价格保持不变，投资的条款却大不相同了。通过重新协商利率，支付条款和偿还期，我现在不是赔钱，而是肯定每月能挣80美元的净利润，而且已经扣除了管理费用和闲置费用。如市场不好的话，我甚至能够降低价格，而且仍然挣钱。如果市场变得更好，我将提高租金以获取更多的收益。

“按以前的协议，我估计你将每月损失至少150美元，”富爸爸说，“甚至可能更多。如果你继续用你的工资来支付每月损失的150美元，你能支付多少笔这样的交易？”

“几乎一笔也不能，”我回答说，“我没有多余的150美元。如果我的这笔生意还维持原样，我每个月都会觉得手头紧张，即使享受了税收减免，我可能不得不再找一份工作以支付这笔投资。”

“可是现在，你能支付起多少笔有80美元现金流入的交易？”富爸爸问。

我笑了，说：“和我能得到的一样多。”

富爸爸点头表示同意。“现在去找更多这样的交易吧。”

几年后，夏威夷的不动产价格上涨。我不只有一项资产升值，而且有7项资产价值增倍。这就是财商的威力。

“你不能这样做”

关于我的第一笔不动产投资，我还要附带提一件重要的事情。当我把我的新报价拿给不动产代理商时，他对我说的惟一一句话就是：“你不能这样做”。

花费时间最长的是说服代理商开始考虑我们如何做我所希望做的事。在任何事件中，都有我从这次投资中学到的许多教训，其中之一就是认识到，当某人对你说“你不能这样做”时，他可能正用一只手指着你……但是你要用三只手指反过来指向他。

富爸爸告诉我“你不能这样做”并不一定意味着“你不能”，多数情况下是“他们不能”。

有一个经典例证就发生在很多年前。当人们对想使人类飞上天空的怀特兄弟说“你们不能那样做”时，感谢上帝，怀特兄弟没有听从。

寻找住所的1.4万亿美元

每天都有1.4万亿美元通过电子系统环绕地球运转，而且数额正在增加。今天，被创造和可获得的货币比以往任何时候都多，问题是今天的这些货币是看不见的，它们是电子货币。所以当人们用眼睛寻找货币时，他们看不见任何货币。大多数人靠工资单辛苦地生活，然而每天有1.4万亿美元环绕地球找寻想要它的人。它在找寻知道如何照顾它、培育它并能使它成长的人。如果你知道如何照顾货币，货币就会涌向你并且抛给你的人会乞求你收下它。

但是如果你不知道如何照顾货币，货币就会远离你。记住富爸爸对财商的定义：“财商不是你能挣多少钱，而是你能保有多少钱，钱为你工作的努力程度，以及这笔钱能维持多少代。”

盲人为盲人带路

“一般人在他们投资时，95%是靠眼睛，仅5%是靠头脑，”富爸爸说，“如果你想成为象限右侧的‘B’和‘I’那样的专业人员，你需要训练你的眼睛只占5%，而头脑占95%。”富爸爸继续说，那些训练用头脑看钱的人对那些没有这样做的人有巨大的影响力。

他对我听从谁的财务建议态度强硬。“大多数人在财务上努力挣扎的原因就是因为他们听从了那些和他们一样对货币一窍不通的人的意见。如果你想让钱到你那里去，你必须知道如何照顾它。如果钱在你的头脑中没有处于第一位，那么它就不会粘到你的手上。如果它不粘到你的手上，那么钱以及有钱的人都会远离你。”

训练你的大脑认识钱

那么，训练你用大脑看钱，第一步要做什么呢？答案很简单，就是金融学。金融学使你具有理解资本主义语言和数字系统的能力。如果你不理解这些语言或数字，你可能就像是在说外语……而且在很多情况下，每个象限都代表着一种外语。

如果你观察现金流象限，

每个象限就像一个不同的国家，他们不都使用相同的语言。如果你不明白他们的词语，你也不会理解他们的数字。

例如，如果一位医生说，“你的高压是120，低压是80”，这是好还是坏呢？这就是你需要知道的有关你的健康的全部信息吗？答案显然是“不是”，但是，这将是一个开始。

这就好像说：“我股票的p/e值是12，我的公寓的顶利率是12。这是我需要知道的有关我的财富的全部信息吗？答案还是否定的，但这同样意味着一个开始。至少我们开始说同样的语言，使用同样的数字，而这就是金融学即财务知识基础的开始。开始时就是要认识这些语言和数字。”

医生说的话来自“S”象限，而后一类人说的语言和数字则出自“I”象限。它们可能也是不同的外语。

我不同意人们说“挣钱首先要花钱”。

依我的观点，用钱挣钱的能力起源于对这些词语和数字的理解。就像我的富爸爸一直说的：“如果钱在你的头脑中没有处于第一位，那么它不会粘到你的手上。”

知道真正的风险是什么

训练你的大脑认识钱，第二步是学会识别真正的风险是什么。当人们对我说，投资是有风险的，我会说，“投资没有风险，没文化才是有风险的。”

投资更像飞行，如果你念过飞行学校，并用几年时间有了一定的经验，那么飞行是充满乐趣和令人兴奋的。但是如果你从没念过飞行学校，那么我建议你把飞行留给别人。

坏建议是有风险的

富爸爸坚信，任何财务建议都比没有财务建议好。他是一个思想开放、谦逊有礼的人，能倾听很多人的意见。但是最终他凭借自己的财商做出决定：“如果你一无所知，那么任何财务建议都比没有财务建议好。但是如果你不能区分出好建议和坏建议，那么任何财务建议都将是非常危险的。”

富爸爸坚信，大多数人在财务方面努力挣扎是因为他们按照从父辈传下来的财务信息行事……并且大多数人都不是出自于财商显赫的家庭。“坏的财务建议是有风险的，而大多数坏建议都是从家庭里传下来的，”他经常说。“不是因为说了什么，而是因为做了什么。孩子们通过例子学习多于通过语言学习。”

你的顾问只能和你一样聪明

富爸爸说：“你的顾问只能和你一样聪明。如果你不聪明，他们就不能告诉你太多；如果你有财务知识，有能力的顾问就能给你提出更复杂的财务建议；如果你没有财务知识，他们必须按照法律仅为你制定安全、没有风险的财务战略；如果你不是一个老练的投资者，那么他们仅能建议低风险、低回报的投资，例如‘多样化’的投资。没有哪个顾问会选择花时间教你，因为他们的时间也是金钱。因此，如果你靠你自己学到的财务知识经营你的钱，那么有能力的顾问会告诉你只有少数人才会看到的投资和战略。但是首先，你必须使你自己变得有知识。永远记住；你的顾问只能和你一样聪明。”

你的银行家在对你说谎吗？

富爸爸同几位银行家保持来往，他们是他财务小组的重要组成部分。虽然他是他们的亲密朋友，并且尊敬他们，但是他始终认为，他必须为自己的最大利益小心警惕……就像他期望那些银行家为他们自己的最大利益小心警惕一样。

经历了1974年的投资之后，富爸爸问我：“当银行家告诉你，你的房子是一项资产时，他是在说实话吗？”

因为大多数人都没有金融知识，不知道金钱游戏，所以他们通常必须听从他们所信赖的人的建议。如果你没有金融知识，那么你需要信赖某个你希望是有金融知识的人。很多人根据别人的建议而不是他们自己的建议投资或管理他们的钱，而这样做是有风险的。

他们不是在说谎……他们只是没告诉你事实

事实上是，当银行家告诉你，你的房子是一项资产时，他们真的不是在对你说谎，他们只是不想告诉你全部的事实。当你的房子是一项资产时，他们却不说它是谁的资产。同时如果你读财务报表，你就会很容易地发现你的房子并不是你的资产，而是银行的资产。记住我的富爸爸对资产和负债的定义，这出自《富爸爸，穷爸爸》一书：

“资产是把钱放到我兜里的东西；

“负债是把钱从我兜里拿出来的东西。”

象限左侧的人事实上不需要知道这种区别。他们大部分人对工作稳定很满意，有自认为属于他们的漂亮的房子，他们感到骄傲，并认定他们对自己的房子有控制力，只要他们支付分期付款，就没有人能把房子拿走。

但是象限右侧的人需要知道这样一种区别。要想拥有财务知识和财商，就要全面了解货币的知识。在财务方面有一定基础的人知道抵押贷款不是一项资产，而是平衡表上的一项负债。你的抵押贷款事实上是对方的平衡表，即银行的资产负债表上的一项资产……而不是你的资产。

你的资产负债表

资产	负债
	抵押贷款

任何记过账的人都知道资产负债表必须平衡，但是平衡在哪里呢？事实上，你的资产负债表并不平衡。如果你看看银行的资产负债表，就知道这些数字的真正含义。

银行的资产负债表

资产	负债
你的抵押贷款	

现在它平衡了，合理了。这就是“B”和“I”的记账办法，但是这不是会计基础中所教的方法。在会计学中，你会把你的房子列为资产而把你的抵押贷款列为负债。还应注意的是，你的房子的“价值”随市场波动而变化，而抵押贷款是确定的负债，不受市场影响。但是，对于“B”或“I”，你的房子的“价值”不被看作资产，因为它不能带来现金流。

如果你还清抵押贷款，情况会怎样？

许多人问我：“如果我还清了抵押贷款，情况又会怎样？这时我的房子是资产吗？”

我的回答是：“大多数情况下，回答仍是否定的，房子仍然是一项负债。”

有几个原因可以解释我的回答。一个是维修费和保养费。财产就像一辆汽车，即使你不使用它，它仍要不断地花钱维护……一旦事情开始出现问题，好像所有的问题都会跟着出现 。大多数情况下，人们用税后收入支付房子和汽车的修理费用，而“B”和“I”象限中的人只把产生收入、带来正的现金流的财产列为资产。

没有抵押贷款的房子也是负债的主要原因是你仍然没有真正拥有它……我是说真正地拥有。即使你拥有它，政府也要向你征税。只要停付你的财产税，你就会发现谁才真正拥有你的财产。

这就是税收留置权的起源……这点我在《富爸爸，穷爸爸》一书中也曾提到过。税收留置权是一个获得至少16%的利息的好方法，如果房主不缴纳他们的财产税，政府将对他们应收的税收征收利息，利率从10%到50%。让我们讨论一下这种暴利，如果你不纳财产税，像我一样的人就等于替你缴纳……那么在很多州，你就欠了我税收以及利息。如果在一定时间内，你不付税收和利息给我，我仅因我投入了钱就可以拿走你的房子。大多数情况下，财产税在退还时有优先权，甚至优先于银行抵押贷款之前。我曾有机会买到一些房子，为此所纳税不到3,500美元。

不动产的定义

再次强调，要用你的大脑而不要用你的眼睛看钱。为了训练你的头脑，你现在必须知道有关词汇的真正定义和数字系统。

现在，你首先应该知道资产和负债的区别，而且你应该知道“抵押贷款”的定义是一项“直到死亡都有效的协议”，以及“财务”的定义，即财务意味着惩罚。你现在要学习“不动产”这个词的来源以及一个流行的金融工具叫做“衍生工具”。很多人认为“衍生工具”是新生事物，但事实上，它们很早就已经产生了。

“衍生工具”的简单定义是“派生于别的事物中的事物”。衍生工具的一个例子是桔子汁，桔子汁是桔子的一种衍生品。

我过去常认为，不动产意味着“真实的”或者是可触摸的某种东西。我的富爸爸向我解释说，英文“不动产”（real estate）这个词实际上产生于西班牙语的“真实的”一词，含义是“皇室的”。El Camino Real 是指皇室的马路，不动产是指皇室的资产。

1500 年左右，农业时代结束，工业时代开始，权力不再基于土地和农业。君主们认识到，他们不得不根据土地改革法案进行改革，该法案允许农民拥有土地。这时，皇室创造出了衍生工具。这些衍生工具，如通过对土地所有权的“纳税”和“抵押贷款”，成为让平民融资并获得土地的一种方式。税收和抵押贷款是衍生工具，因为它们起源于土地。你的银行家不会称抵押贷款为衍生工具，他们会说它是由土地“保证”的……不同的说法，相同的含义。因此，当皇室认识到，金钱不再产生于土地而是产生于来源于土地的“衍生工具”时，君主们建立了银行，让银行管理新增加的事务。今天，土地仍叫“不动产”，因为无论你为它支付多少钱，它都不再真正属于你，它仍旧属于“皇室”。

你的利率是多少……真实利率？

富爸爸为他所支付的每 1 分利率进行态度强硬的斗争和协商。

他问我，"当银行家告诉你，你的利率是8%时……这是真的吗?"

我知道这不是真的，只要你学会读数字就会了解。

让我们假设，你买了一所价值10万美元的住宅，首付2万美元，并以8%的利率和30年偿还期向银行借到余下的8万美元。

5年后，你将付给银行35,220美元，其中31,276美元是利息，仅有3,944美元是偿还债务。

如果你持有这笔贷款30年，你将支付本息共211,323美元，大大多于你最初借到的8万美元。你支付的利息总和是:131,323美元。

另外，这211,323美元还不包括财产税和贷款保险费。

有趣的是，131,323美元看起来比8万美元的8%要多得多。这更像是利率为160%的30年贷款。如我所说，他们并不是在说谎……他们只是没有说出全部事实真相。如果你不会读数字，那么你真的永远也不会知道；如果你对你的房子很满意，你实际上不会介意。但是，当然，这个行业知道，几年以后……你又会想另一栋新房子，一栋更大的房子，一栋更小的房子，一栋别墅，或者重新融资你的抵押贷款。他们知道这点，而且事实上，他们正热切等待着它的发生。

行业平均值

在银行业，抵押贷款的平均期限是7年，即银行期望人们每7年买一次新房子或重新融资一次。这个例子意味着，他们期望每7年后收回他们最初的8万美元，再加上43,291美元的利息。

而这就是称它为"抵押贷款"的原因，这个词起源于法语"mortir"，意思是"死前协议"。事实是大多数人努力工作，不断地使用新的抵押贷款。针对这些，政府提供税收减免，鼓励纳税人购买更贵的房子，而这意味着将有更多的财产税交给政府。不要忘记，每家抵押贷款公司还都要求你为你的抵押贷款购买地产保险。

每次我看电视，都会看到那些商业广告里，英俊的职业棒球和橄榄球运动员微笑着劝告你，把你的所有的信用卡债务变成“账单合并贷款”。这样，你能还清所有这些信用卡，并以更低的利率获得新的贷款。这时他们会告诉你为什么这样做是明智的：“账单合并贷款是你的一项聪明的转移，因为政府将给你支付抵押贷款利息的税收减免。”

观众认为他们看到了良机，跑到他们的金融公司，重新对他们的住房进行融资，还清他们的信用卡，还觉得自己相当的明智。

几周之后，他们去逛商店，看到一件新衣服，一个新除草机或者意识到他们的孩子需要一辆新自行车，或者因为他们精疲力尽而需要度假。于是他们不得不办一个新的信用卡——或者突然他们收到了一个新信用卡，因为他们还清了另一个。他们有很好的信用，他们支付他们的账单，他们意志坚定并对自己说：“噢，继续下去。你应该这样，你每月可以还清一些。”

情感战胜了逻辑，新的信用卡从隐蔽处溜了出来。

正如我所说，当银行家对你说你的房子是一项资产时，……从某种意义上说他们是在说谎。当政府为你的负债提供税收减免时，这不是因为它关心你的财务未来。政府关心的是政府自己的财务未来。因此，当你的银行家、会计师、律师和老师诚实地告诉你，你的房子是一项资产时，可他们却没有说出那究竟是谁的资产。

储蓄是资产吗?

现在，你的储蓄是真正的资产，这是好消息。但是，同样，如果你读一读财务报表，你将会看到全貌。虽然你的储蓄的确是资产，但是当你看到银行的平衡表时，你的资产就变成了负债。下面就是你的储蓄和支票薄在你的资产项目中的样子。

你的资产负债表

资产	负债
储蓄	
支票节余	

而下面是你的储蓄和支票簿在银行的平衡表中的位置：

银行的资产负债表

资产	负债
	你的储蓄
	你的支票节余

为什么你的储蓄和支票簿对于银行是一项负债？因为他们必须为你的钱支付利息，并且花钱保护它。

如果你能理解这些描述和词汇的含义，你可以开始更好地理解那些眼睛所看不到的金钱游戏。

为什么你的储蓄得不到税收减免？

如果你留意一下你会发现，借钱购买房屋会使你获得税收减免……而存钱却不会使你获得这样的好处。你不觉得奇怪吗？

我没有确切的答案，但是我可以推测，一个很大的原因就是储蓄对于银行来说是负债。银行为什么要让政府通过一项法律，鼓励你把钱放在银行……而这钱将成为他们的负债呢？

他们不需要你的储蓄

此外，银行事实上不需要你的储蓄。他们不需要这么多的存款，因为他们可以把钱放大至少10倍。如果你把1美元存在银行，按照法律，银行可以贷出10美元，而且，如果没有中央银行的准备金限制，还可能是20美元。这意味着你的1美元突然变成了10美元或者更多。多么神奇啊！当我的富爸爸告诉我这些时，我爱上了这个想法。在那时，我知道我想拥有银行，并且不想上学，想要成为银行家。

基于此，银行可以为你的1美元仅付5%的利息。做为消费者，你觉得安全，因为银行为你的钱付一些钱。银行把这看成是良好的客户关系，因为如果你在他们那儿有储蓄，你就可以向他们借钱。他们想让你借钱，因为他们能对你借的钱收取9%或者更多的利息。当你1美元赚5%的利息时，他们可以用由你的1美元产生的10美元赚9%或者更多的利息。最近我收到一张信用卡，广告中说利率是8.9%……但是如果你知道这些精心印刷的合法的行话，你会发现事实上是23%利率。不用说，那张信用卡被剪成两半寄了回去。

不管怎样，他们拿到了你的钱

他们不给储蓄提供税收减免的另一个原因更加明显。如果你能读懂这些数字，并看出现金流向何处的话，你会发现，不管怎样，他们拿到了你的钱。你存在资产项目里的钱，正在以你的抵押贷款的利息支付形式流出你的负债项目。现金流形式看起来如下：

你的财务报表

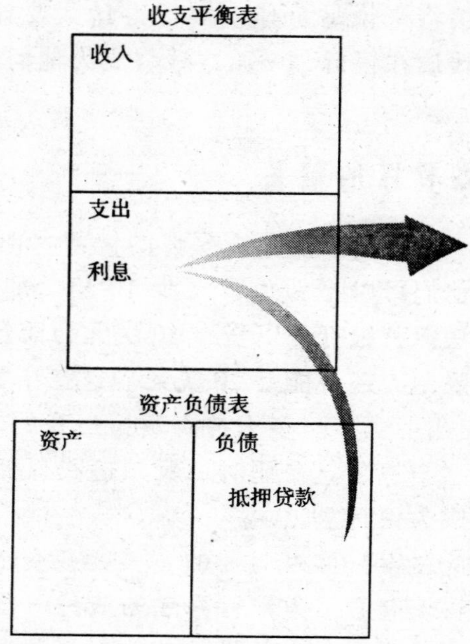

银行的财务报表

收支平衡表

收入

利息

支出

资产负债表

资产

负债

你的抵押贷款

因此，他们不需要政府为你提供税收激励使你储蓄。不管怎样，他们将会拿到你的钱……以债务利息的形式。

政客们不会干涉这个系统，因为银行、保险公司、建筑业、房产经纪人和其他人为政客们捐钱竞选……政客们深知这种游戏的奥妙。

游戏的奥妙

1974年，我的富爸爸坐立不安，因为这种游戏正不利于我，而我却全然不知。我买了那项不动产投资，并处于赔钱的境地……然而，我却被引导着坚信那会成为赚钱的投资。

"我很高兴你进入了这种游戏，"富爸爸说，"但是因为从没有人告诉你这种游戏是什么，应该怎么玩，所以你已被吸收加入到了失败者的队伍中。"

这时，富爸爸解释了这种游戏的基本知识，"资本主义游戏的名字是'谁欠谁的债?'"

他说，一旦我了解了这种游戏，我就能成为一个更好的玩家……而不是让游戏摆弄我。

你欠越多人的债，你就越穷

"你欠越多人的债，你就越穷，"富爸爸说，"越多的人欠你的债，你就越富。这就是游戏规则。"

如我所说，我尽力保持思想开放，因此，我沉默不语，让他解释。他没有恶意去评价什么，只是解释他所看到的游戏。

"我们都欠某个人或某些人的债，当债务失去平衡时就会出现问题。不幸的是，这个世界上的穷人被这种游戏耍得太狠，他们也不可能再陷入比这更深的债务中了。对于那些穷国，情况也是如此。世界只从穷人、弱者和没有财务知识的人那里获取财富。如果你有太多的债务，世界就会拿走你所有的东西……你的时间、你的工作、你的家庭、你的生活、你的信心，然后他们拿走你的尊严，如果你让他们这样做的话。我没有制定规则，也没有去构造这种游戏，但是我了解这种游戏……并且我玩这种游戏玩得很好。我会向你解释这种游戏，我希望你也能学会玩这种游戏。在你掌握了这种游戏之后，你就能用你所了解的规律行事。”

货币是负债

富爸爸继续解释道，甚至我们的通货也不是一种权益证明，而是一种债务工具。过去每1美元都由金或银支持，但是现在货币只是一种借据，由发行国的纳税人来担保支付。只要世界的其他国家相信美国的纳税人能工作并支付这种称做货币的借据，世界就相信我们的美元。如果货币的关键因素，即“信心”，突然消失，那么经济就会像积木搭建的房子一样倒塌……而这种积木房子在历史上已经倒塌过多次。

例如，德国魏玛政府发行的马克在“二战”前就已经变得几乎没有价值。就像一个故事中叙述的那样，一个老妇人推着满满一手推车的马克去买一只面包，当她回来时，有人偷走了手推车，却留下了满街没有价值的货币。

这就是为什么，今天大多数货币都被看成是“法定”货币，而这种货币却不能被转换成某种有形的东西……如金或银。货币只有在人们相信政府能够收回它的时候才管用。“法定”的另一种定义是“由拥有最终权力的个人或集团制定的专制规则或命令”。

今天，大部分全球经济是基于债务和信心的。只要我们都坚定信念，并且没有人打破秩序，一切都将顺利进行……

而“fine”这个词是我特有的一种缩写，即“不安全的，神经质的和情绪化的感觉”(Feeling Insecure Neurotic and Emotional)。

“谁欠你的呢?”

回顾1974年，当时我正在学习如何购买那栋价格为5.6万美元的套房，我的富爸爸给我上了重要的一课，他教我如何安排交易。

"'谁欠谁的钱?'是这种游戏的名字,"富爸爸说,"有人用债务阻碍你。这就像是你和10个朋友去吃饭,你去了趟卫生间,等你回来时,账单摆在那儿,但是10个朋友都不在了。如果你想玩这种游戏,最好是学会这种游戏,了解它的规则,说同样的语言,并知道是谁和你一起去玩。否则,就不是你玩游戏,而是游戏玩你。"

这只是一种游戏而已

起初听到富爸爸的话，我很生气……但是我听了，并且尽力去理解。最后，他用我能理解的方式解释道："你喜欢玩橄榄球，是吗?"他问。

我点点头："我喜欢这项运动"，我说。

"嗯，金钱是我的运动，"富爸爸说，"我喜欢金钱游戏。"

"但对许多人来说，金钱不是一种游戏，"我说。

"的确如此，"富爸爸说，"对大多数人来说，这是生存，是一种人们讨厌可又被迫参与的游戏。不幸的是，人类变得越文明，金钱就越成为我们生活的一部分，不可或缺的一部分。"

富爸爸画出了现金流象限：

“把它看成网球场，或者足球场，或者橄榄球场。如果你想参加金钱游戏，那么你想加入哪个队呢？‘E’、‘S’、‘B’还是‘I’呢？或者你想在球场的哪一边——右边还是左边呢？”

我指了指象限的右侧。

如果你承担了债务和风险，那么你应该得到支付

“很好，”富爸爸说，“因此你在玩游戏时不能离开，而且不能相信某个销售代理商告诉你的为期30年的每月损失150美元的交易是笔好买卖，不能相信政府会为你的损失提供税收减免，不动产价格会上涨之类的话。你不能用这种思维方式参与这种游戏，虽然这些想法可能是正确的，但这不是在象限右侧进行游戏的方式。有人正在劝说你借债，冒所有的风险，并为债务付钱。象限左侧的人也许会认为这是个好主意……但是右侧的人不会这样想。”

我略微摇了摇头。

“用我的方式观察它，”富爸爸说。“你愿意为这栋房子付5.6万美元，你签署了债务合同，并承担风险。房客支付低于成本的租金，不足部分由你来提供津贴。现在你懂了吗？”

我摇了摇头：“不懂”。

“我参与这种游戏的方式是，”富爸爸说，“如果我负债并承担风险，那么我应该得到支付。但是现在你得到了吗？”

我又摇了摇头。

“赚钱是基本常识，”富爸爸说，“这不是火箭科学。但不幸的是，一旦涉及到金钱，常识也就不简单了。银行家告诉你应该借债，告诉你政府会对没有基本经济意义的事物免征税收，然后不动产销售代理商告诉你应该签署这些协议，这是因为依他所见，房价将会上涨。如果你觉得这些有道理，就说明你我对钱的常识不同。”

我站在那儿，听他说每一句话。我必须承认，我曾经对我所做的这笔生意感到兴奋，以致我失去了自己的理性。我没有分析这次交易，因为这笔交易“看起来”不错，它使我变得贪婪和兴

奋，再也听不到那些数字和语言在尽力告诉我的事情。

就在那时，富爸爸告诉我一条重要的规则，这条规则他一直使用，“你的利润是在你购买时……而不是卖出时产生的。”

富爸爸确信，无论他借债或者承担风险，都必须在他购买时就有意义……它必须在经济变坏时有意义，而且在经济变好时更有意义。他从不靠税收技巧或水晶球去预测未来的购买，一笔交易必须在经济好时和经济差时都有很好的经济意义。

我开始理解他所看到的金钱游戏，那就是，让别人欠你的债，并小心你欠的债。今天，我仍听到他这样说，“如果你负债并承担风险，要确信你为此能得到支付。”

富爸爸也有负债，但是他借债时总是很小心。“借债时你要小心，”他建议说，“如果你个人借债，要确信债务不多；如果你借债很多，就要确信有人正在为它支付。”

他把金钱和债务游戏看成是愚弄你，愚弄我，愚弄任何人的游戏，企业与企业、国家与国家都在进行这种游戏，但这仅仅是游戏而已。问题是，对大多数人而言，金钱不是游戏，而是生存……甚至是生活本身。可悲的是，因为没有人向他们解释这种游戏，所以他们仍旧在相信银行家的话：房子是一项资产。

事实与建议的重要性

富爸爸继续他的课程：“如果你想在象限右侧获得成功，那么当涉及到金钱时，你必须知道事实和建议之间的区别。你不能像象限左侧的人那样盲目地接受财务建议，你必须明白这些数字，必须知道事实，而数字能够告诉你事实。你的财务生存依靠事实，而不是某个朋友或顾问的冗长建议。”

“我不明白事实或者建议之间，到底有什么区别？”我问。“前者比后者好吗？”

“不是，”富爸爸回答说，“只是要知道某种事情何时是事实，何时是建议。”

我站在那儿，仍然感到困惑。

“你知道你家的房子值多少钱吗?”富爸爸问。他在通过一个例子帮助我消除困惑。

“我知道。”我迅速回答说，“我父母现在想把房子卖掉，所以他们征求一位不动产代理商的意见。他们说这房子值3.6万美元，这就是说，我爸爸的净资产增加了1.6万美元，因为五年前买房时只花了2万美元。”

“那么这个判断对你爸爸的净资产来说，是事实还是建议呢?”富爸爸问。

我想了一会儿,明白了他的意图。“两个都是建议,不是吗?”

富爸爸点了点头。“非常好，大多数人在财务方面努力挣扎，因为他们一生都是靠接受建议而不是根据事实来作出财务决策。这些建议包括：你的房子是一项资产，不动产价格总是上升，绩优股是你最好的投资，要挣钱首先要花钱，股票总是优于不动产，你应该使你的资产组合多样化，要想富有，就必须欺诈，投资有风险，要安全游戏等等。”

我坐在那儿，认真思考着，我认识到，我在家里听到的大部分有关金钱的事情事实上都是人们的建议，而不一定是事实。

“黄金是资产吗?”富爸爸问，把我从白日梦中拖出来。

“是，当然是，”我回答说，“黄金是惟一经受住时间考验的真正的货币。”

“再想一想，”富爸爸笑着说，“你所做的是在重复别人关于资产的观点，而不是检验事实。”

“黄金是惟一的资产，按照我的定义，如果你的买入价低于卖出价，那么它就是资产。”富爸爸慢条斯理地说，“换句话说，如果你买时花了100美元，卖时得到200美元，那么它就是资产。但是，如果你买一盎司黄金花了200美元，卖时只得到100美元，那么这次交易中的黄金是一项负债。正是交易中这些真实的财务数字告诉你事实。实际上，惟一的资产或负债是你自己……因为最终是你把黄金变成资产，而同样你也能把黄金变成负债。这就是为什么财务教育如此重要的原因。我看到如此多的人把一个非常好的企业或者不动产变成了一个财务恶梦，很多人对待他们的生活也是如此，他们把辛苦挣来的钱变成终生的债务负担。”

我更加糊涂了，心中感到一阵阵疼痛，甚至怀疑富爸爸是在拿我的大脑开玩笑。

“很多人被卷进去，因为他们不知道事实。每天我都听到一些可怕的事情，说是有人赔掉了他所有的钱，因为他把建议当成事实。做财务决策时听取建议是可以的……但是你最好知道区别。很多人根据代代相传的建议作出人生决策……然后他们奇怪为什么他们总在财务困境中苦苦挣扎。”

“什么样的建议？”我问。

富爸爸笑了起来，然后回答说：“好吧，让我给你列举几个我们都听到过的建议。”

富爸爸一边笑，一边列单子，很明显他是在嘲笑人类的滑稽。那天，他列举的一些例子是：

1. “你应该嫁给他，他会是一个好丈夫。”
2. “找一份稳定的工作，一生都别再变动。”
3. “医生挣钱很多。”
4. “他们有大屋，一定很有钱。”
5. “他肌肉发达，一定很健康。”
6. “这车不错，一定适合小巧的老妇人开。”
7. “没有足够的钱让大家都变富。”
8. “地球是平的。”
9. “人类永远不会飞。”
10. “他比他姐姐聪明。”
11. “债券比股票安全。”
12. “犯错的人真傻。”
13. “他从不卖低价。”
14. “她从不和我出去。”
15. “投资有风险。”
16. “我永远也不会富有。”
17. “我没念过大学，所以我永远也不会排在前面。”

18. “你应该多样化地投资。”

19. “你不应多样化地投资。”

富爸爸不停地说着，直到最后，他看出我已经听烦了。

“好吧！”我最后说，“你究竟想说什么呢？”

“还有很多很多。”富爸爸微笑着说，“关键是大多数人的生活都是由他人的建议而不是事实决定的。要改变一个人的生活，首先要改变他们建议……然后开始观察事实。如果你会读财务报表，你将能够看到事实，而不只是一家公司的财务成功……如果你会读财务报表，你立即能够说出一个人应该怎样做……而不是听从你的或他人的意见。正如我所说的，一个不比另一个好，要想在生活中，尤其是财务方面获得成功，你必须知道区别。如果你不能证明某件事情是事实，那么它就只是一个建议。财务上的无知是指当一个人不会读那些数字时……他们必须接受别人的建议，并把建议当成事实。如果你想处在象限的右侧，你必须知道事实和建议之间的区别，没有比这更重要的教训了。”

我坐在那儿，安静地听着，尽力理解他的话。虽然表面上这些都是简单的概念，但是当时我真的无法做到完全理解。

“你知道‘适度的勤勉’是什么意思吗？”富爸爸问。

我摇了摇头。

“适度的勤勉就是说查明什么是建议，什么是事实。当考虑到金钱时，大多数人都很懒惰，或者总想寻找捷径，因此他们不够勤勉。还有一些人担心犯错误，以致他们虽然勤勉，但最终一事无成。我见过太多的‘适当勤勉’或者是‘分析偏执狂’，关键是你必须知道如何筛选事实和建议，然后作出决策。如我所说，现在大多数人都处在财务困境中，这只是因为他们走了太多的捷径，并根据建议而不是事实作出他们生活中的财务决策，而且这些建议通常是来自于‘E’或‘S’的建议。如果你想成为‘B’或‘I’，你必须尽快知道这种区别。”

那天我对富爸爸的教导并没有感到激动万分，然而几乎没有什么教导对我的帮助比这更大了，尤其是每当我处理金钱问题时，这条教导就是：认识事实和建议之间的区别。

多年后，在90年代初，我的富爸爸观察到当时的股市飙升，对此他惟一的评论是："这次股市飙升是高薪雇员和高薪自由职业者开始参与投资的结果，这些人付税过多，债务庞大，资产组合中只有证券资产。如果他们仅听从那些以为知道事实的人的建议，他们将损失几百万美元。"

美国最伟大的投资家沃伦·巴菲特曾经说："如果你在玩捉人游戏，可20分钟后你还不知道替罪羊是谁，那么你就是替罪羊了。"

为什么人们为金钱苦苦挣扎

最近，我听说大部分人从离开学校直到去逝，一直都处在债务困境中。

这是美国典型的中产阶级的财务状况：

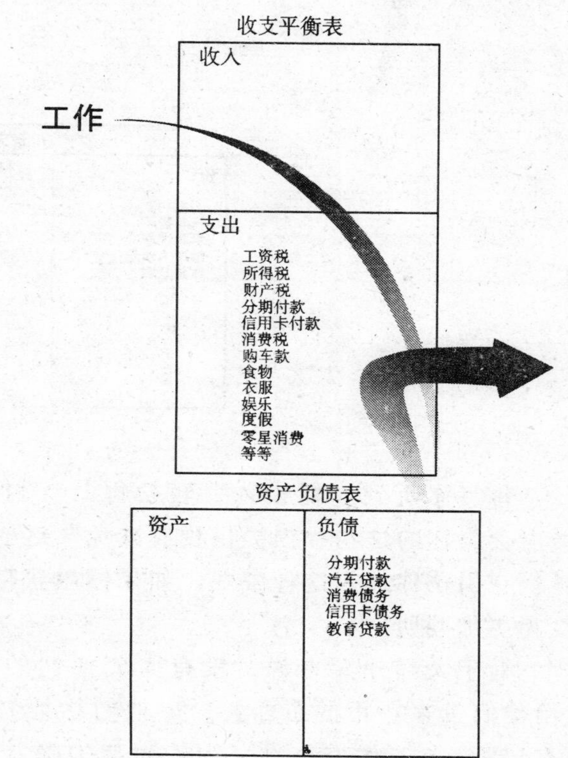

别人的平衡表

如果你现在了解了这种游戏，那么你可能认识到，列出的这些负债必定出现在某个人的平衡表中，具体如下：

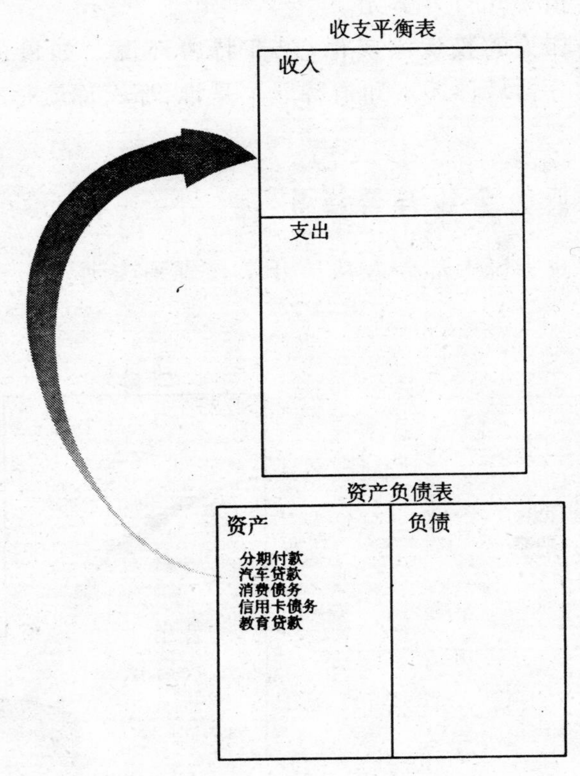

每当你听到“低投入，轻松每月支付”，或者“不必担心政府会为你的这些亏损提供税收减免”这些话的时候，你就知道他们在引诱你加入这种游戏。如果你想获得财务自由，你就必须变得更加聪明。

对于大部分人来说，没有人欠他们的债，他们没有不动产（给他们带来货币的东西）……他们总是欠其他人的债，因此他们坚持寻求工作安全性，为钱而努力挣扎。要是没有他们的工作，他们会在瞬间破产。据说，一个普通的美国人距离破产仅差不到3个月的工资，这是因为他们一直在寻求更好的生活，却被金钱游戏所困。房梁正在砸向他们，而他们还以为他们的房子、汽车、高尔夫球俱乐部、衣服、别墅和其他玩意都是资产。他们总是相信别人告诉他们的话，他们也不得不相信，因为他们不会读财务数字，他们不能判断出事实和建议之间的区别。他们中的大多数人也不得不去上学，学习成为这场大游戏中的某个小游戏的参与者，但是没有人为他们解释这种更次一级的游戏。

没有人告诉他们这种游戏的名字叫“谁欠谁的债”，因为没有人告诉他们，他们就是欠别人债的人。

货币是一个概念

我所喜爱的一首歌是肯尼·瑞格斯的《赌博者》，其中有一句歌词概括了整首歌的内容：“如果你想玩游戏，年轻人，你必须学会正确的玩法。”

我真诚地希望你现在已经掌握现金流象限的基本知识，并且知道金钱事实上是一个概念，用你的大脑观察它比用你的眼睛观察它更清楚。学习金钱游戏和它的玩法是通向财务自由过程中的一个重要部分，而更为重要的是，你需要成为现金流象限右边的那种人。本书的第二部分将集中讨论如何“做最好的你”，并分析下面这个公式：

成为——→做——→拥有

第二部分

发挥你的潜在优势

第七章

成为你自己

"关键不是无家可归，"富爸爸说，"关键是你自己，不断奋斗，你会成为一种人；停下来，你也会成为一种人，……但绝不是同一种人。"

你经历的变化

对于那些正考虑从追求工作安全变为追求财务安全的人来说，我所能做的事情就是鼓励你们。在我有勇气继续前进之前，我妻子和我经历了无家可归时的痛苦和绝望，这是我们曾经走过的路，但它不一定是你要走的路。就像我前面描述的那样，或许会有现成的、更适合你的系统帮助你跨上通往象限右侧的桥梁。

关键是在这个过程中，你内心所经历的变化和你究竟想成为谁。对于某些人，这个过程很容易，而对于另一些人，这个过程永远不可能实现。

钱是毒品

富爸爸总是对迈克和我说："钱是毒品。"

当我们为他工作时，他拒绝为我们付钱，主要理由是他永远不想让我们沉溺于为钱而工作。"如果你们沉溺于金钱，"他说，

"就很难再摆脱它。"

当我从加利福尼亚给他打电话，以一个成年人的身分问他关于钱的事情时，他依然保持着那种在迈克和我9岁时与我们交谈的方式。我们小时候，他不付给我们钱，现在他也不会给。相反，他仍旧很严厉，引导我不要沉溺于为钱而工作。

他称钱是毒品，是因为他注意到，人们在有钱时很高兴，没钱时就烦燥不安或心情沮丧。这就像吸毒者，在注射毒品时会变得很兴奋，而没有毒品时就会变得沮丧和充满暴力。

"小心钱瘾的威力，"他经常说，"一旦你习惯了它，就无法脱离得到它的途径。"

换句话说，如果你做为雇员挣钱，那么你就倾向于这种获得钱的方式；如果你习惯于作为自由职业者挣钱，那么你就很难改变这种挣钱方式；如果你习惯于政府施舍，那么这也将是一个难于打破的方式。

"从象限左侧转移到右侧，最艰难的部分就是必须与你现在的挣钱方式脱离，"富爸爸说，"这不只是打破一个习惯，这是在打破一种沉溺。"

因此，他对迈克和我强调，永远不要为钱工作。他坚持让我们学习创建我们自己的系统，并以此作为获得金钱的一种途径。

各种方式

对于我太太和我，当我们决心要成为"B"象限中的人时，最艰难的部分就是我们以前的所有条件仍然在阻碍我们。当朋友们说，"你为什么这样做？你为什么不找份工作"时，我们从内心深处感到十分为难。

更为困难的是，我们的一部分性格也想让我们回到已经习惯了的工资的保障中去。

富爸爸对迈克和我解释说，金钱世界是一个大系统。作为个人，我们应学习如何在这个系统中按照某种方式进行操作。

例如：

"E"为系统工作。

"S"是系统。

"B"创造、拥有或控制系统。

"I"投资于系统。

富爸爸谈论的方式使我们自然而然地了解了金钱的运动方式，这种方式融于我们的身体、大脑和灵魂中。

"当人觉得需要钱时，"富爸爸解释说，"'E'会自动地寻找工作，'S'通常会独自做些事情，'B'会创办或者购买一个产生钱的系统，而'I'会找机会投资于一项能产生钱的资产。"

为什么难于改变一种方式

"难于改变一种方式的原因是，"富爸爸说，"金钱对于今天的生活是必不可少的。在农业时代，金钱不是很重要，因为土地不用钱就能够提供食物、住所、温暖和水。自从工业时代我们进入城市后，钱就代表了生活。今天，甚至水也要花钱。"

富爸爸继续解释说，当你开始转移时，比方说从"E"象限到"B"象限，你身体的某些部分仍习惯于做"E"，或者害怕那种生活的结束，于是就会踢打、反抗。这就像一个溺水的人要努力呼吸到空气，或者一个饥饿的人会吃任何可以活命的东西一样。

"你内心的战斗使得整个转变的过程变得很困难。这是一场你不再是的人与你将成为的人之间的战斗，"富爸爸通过电话对我解释说，"也是你内心仍旧在寻找安全性的部分在与你内心想获得自由的部分的斗争。只有你能最终决定谁赢。你要么建立自己的企业，要么回去找一份永久的工作。"

发现你的热情

"你真想前进吗?"富爸爸问。

"是的!"我匆忙答道。

“你忘了你想做的事情吗？你忘了你的热情吗？你忘了是什么最先使你陷入这种尴尬的困境吗？”富爸爸问。

“噢，”我有些吃惊地回答说。我的确忘记了，于是我拿着电话，努力使头脑保持清醒，我开始记起是什么最先使我陷入这一团糟中。

“我知道，”富爸爸说，他的声音不断地从电话里传出来，“你对个人生存的担忧胜于坚持你的梦想。你的恐惧压倒了你的热情。保持前进的最好方法是让你心中的烈火永不熄灭。始终记住你开始时一心要做的事情，这样旅途就会变得轻松。过多的担心你自己，恐惧就会开始吞食你的灵魂。充满热情地建立企业，不要畏惧。你已经走了这么远，现在离目标已经很近，所以不要调回头去。记住你刚开始时要做的事情，把这个记忆藏在心中，让热情的烈火继续燃烧。你任何时候都可以停下来……所以为什么现在停呢？”

说完，富爸爸就祝我好运并挂上了电话。

他是对的。我忘记了我为什么开始这个旅程，我忘记了我的梦想，并让恐惧占据了我的头脑和我的心灵。

几年之前，有部电影叫做《闪光的舞蹈》，主题曲这样唱道：“用你的热情让它发生。”

的确，我遗失了我的热情。现在正是或者让它发生或者回家忘记它的时候了。我静静地站了一会儿，又听到富爸爸最后的一句话，“你任何时候都可以停下来，所以为什么现在停呢？”

我决定拖延停止，直到我让事情发生。

成为拥有系统的老师

富爸爸和我通了电话之后，我长时间地站在电话亭里。虽然恐惧和缺少成功信心的心理仍在不断地冲击着我，然而我曾经有过的梦想，创建一个与众不同的学校系统，实施一整套的现有教育系统无法进行然而却是人们迫切需要的教育计划的梦想又一次强烈地凸现在我的心中。我站在那儿，我的心回到了我的高中时代。

在我15岁的时候，我的高中指导老师曾经问我："长大后，你想干什么？你想和你爸爸一样成为老师吗？"

我盯着我的老师，直接、有力且充满决心地回答说："我永远也不会作老师，老师是我最不想做的事情。"

我早已不喜欢学校了，从某种程度上讲我简直是憎恨它。我极不愿意被迫坐在教室里，听我非常不喜欢或不敬佩的某个人在几个月里讲述一门我一点也不感兴趣的课。我烦躁不安，在教室后面制造麻烦，除非我没去上学。

所以，当我的老师问我是否想当老师时，我几乎跳了起来。

在那时，我几乎不懂热情是爱和恨的结合。我喜欢学习，但是我讨厌学校。我极其讨厌坐在那儿，被安排成我不想成为的某个东西。而且我显然不是惟一有这种想法的人。

关于教育的著名引语

丘吉尔曾说："我时刻准备学习，但是我不是时刻准备着被教导。"

伽利略说："你不能教会一个人任何东西，你只能帮助他找到做事的方法。"

马克·吐温说："我从来不让学校干涉我对自己的教育。"

爱因斯坦说："现在有太多的教育，尤其是在美国的学校里。"

来自有学问的爸爸的礼物

与我分享这些名言的人还有我的有学问但很贫穷的爸爸，作为教育官员他同样对学校现行系统的不完善深恶痛绝，却是无能为力。他用他的热情尽力去改变这个系统，结果撞到了南墙上。这是一个有太多人在其中挣钱的系统，没有人想让它改变……虽然有很多言论说需要改变。

或许，我的指导老师有通灵术，因为多年以后，我的确当了老师。只是我不想跟着他走进同样的系统，我用相同的热情创造我自己的系统，虽然这一度使我无家可归，但最终我的热情帮助我创造了一个用不同方式教育人的教育系统。

当我的有学问的爸爸得知我太太和我为钱挣扎，尽力创建我们自己的教育系统时，他送给我们一些名人名言，在写着这些名人名言的那张纸的上端写着：

“继续努力。爱你的爸爸。”

在这种鼓励之后，一切开始变得有意义。驱动我的热情与多年前驱动爸爸的热情相同，我的确在骨子里承继着我的亲爸爸的某些东西，不自觉地从他手中接过了火炬。本质上我还是一名教师……

事实上，我变成了两个爸爸的样子。从富爸爸那里，我学到了作资本家的秘密；从有学问的爸爸那儿，我继承了教书的热情。由于两个爸爸的结合，我现在才能为这个教育系统做些事情。我没有想过也没有能力去改变现有的系统，但是我会用知识去创造我自己的系统。

多年的培训开始得到回报

多年来，我的富爸爸培养我成为一个创造企业和企业系统的人。1977 年，我设立的第一个企业是一家制造公司。我们是首批用鲜艳颜色的尼龙和“维克劳”搭链生产“冲浪者”钱包的公司之一。

随后我们生产了一种迷你钱包，也是用尼龙和“维克劳”搭链做的，可系在跑鞋的鞋带上。1978 年，慢跑是新时尚，慢跑者总想找一个地方放钥匙、装钱或身份证，因此，我设计了这种钱包并将之推向世界。

我们瞬间的成功是惊人的，但是很快我对产品系列和企业的热情就消褪了。当我的小公司开始受到国外竞争者的冲击时，它开始衰退了。韩国和中国的台湾、香港这些国家和地区正在装运与我的产品相同的产品，并且卷走了我们开拓的市场。他们的价格如此之低，以致于我们完全无法与之竞争。他们的零售价甚至比我们的生产成本还低。

我们的小公司面临这样一个进退两难的困境：打击他们或者加入他们。合伙人认为我们不能赢得这场竞争，那些用廉价产品充斥市场的公司太强大了。投票表决后，我们决定加入他们。

为了保证生存，我们不得不解雇我们大部分的忠诚而勤勉的员工，这使我心碎。当我去考察我们与之签约的韩国和中国台湾的新工厂时，我的灵魂再次受到了伤害。年轻工人们被迫挤在狭小的空间里工作，我看到5个工人一个挨着一个，身子挤在一块，在美国我们只会让一个工人在相同大的空间里工作。我的意识开始深深地困扰着我，不仅为了我们在美国解雇的那些工人，也为了国外那些正在为我们工作的工人。

虽然我们解决了与国外竞争的财务问题,并开始挣到很多的钱,但我的心不再放在企业上……企业开始下沉。它的灵魂首先失去了,因为我的灵魂失去了。如果变富意味着剥削如此多的低工资的工人,那么我不再想变富。我开始考虑教育人们成为企业主,而不是企业的雇员。32岁那年,我开始成为一名老师,尽管当时我并没有意识到这一点。在那时,我太太和我便开始了我们的新企业冒险,开创钱包公司的时代对于我们已经一去不复返了。

缩小规模正在来临

1983年，我被邀请到夏威夷大学给一个MBA班讲演。我向他们讲述了我对工作安全性的看法，但他们显然无法接受我说的下列一席话："几年后，你们将失去你们的工作，或者被迫为越来越少的钱工作，这种依靠工作带来的保障今后将越来越少。"

因为我的工作，我开始到世界各地旅行，并亲眼目睹了廉价劳动力和技术创新结合所带来的巨大威力。我开始认识到，亚洲、欧洲、俄罗斯或南美的工人正在与美国的工人竞争。我知道，工人们和中层管理者们持有的追求高薪水和安全稳定的工作的想法已经过时了。大公司很快就要被迫进行精简，包括员工人数的精简和工资水平的降低，以便能够参与全球竞争。

我再也没有被邀请去过夏威夷大学，然而几年后，“缩小规模”这个词成为标准的行业用语。每当一家大公司被兼并时，工人就显得过多，缩小规模便发生了。每当企业主想让他们的股东高兴时，缩小规模也会发生。每次缩小规模，我都看到高层人物变得越来越富，而低层员工则在为此付出巨大代价。

每当我听到人们说，“我要把我的孩子送到一所好学校，以便将来他能找到一份安全稳定的好工作”时，我都会从心底里感到不安，为工作做准备在短期内可能是个好想法，但是对于长期来说这远远不够。正因为这种不安，促使着我去向更多的人解释我的观点，渐渐地但可以肯定地说，我成了一名老师。

用你的热情构建一个系统

虽然我的制造公司起死回生并且重新运营良好，但我的热情已经一去不复返了。我的富爸爸这样总结我的失败，“学校的日子结束了。到了围绕你的心、围绕你的热情建立一个系统的时候了。让制造公司见鬼去吧，建立你所知道的你必须建立的东西。你已经向我学到了很多，但是你仍然是你父亲的儿子，你和你的爸爸在灵魂深处都是老师。”

我太太和我收拾起所有的东西，移居到加利福尼亚学习新的教学方法，以便我们能够用这些方法创建一个企业。在我们的企业开始运营之前，我们已经用光了所有的钱，开始流落街头。正是给富爸爸打的那个电话，以及我妻子对我的支持、我对自己的愤怒与不满，再次点燃了这种热情并使我们从陷入的麻烦中逐步摆脱出来。

很快，我们又开始建立起我们的企业。这是一家教育公司，使用的教学方法与传统学校的教学方法完全不同。我们不是让学生安静地坐在那儿，而是鼓励他们活泼主动。我们不是通过课本教书，而是通过游戏进行教学。我们不是使课堂变得令人厌倦，而是坚持让我们的每一位老师做到幽默风趣。我们寻找的不是一般的老师，而是真正开办了自己的公司的企业界成功人士，用我们自己的教学风格讲授。不是老师给学生评分，而是学生给老师评分。如果老师得了低分，那么这位老师要么推出另一种详细的教学计划，要么申请辞职。

年龄、教育背景、性别和宗教信仰都不是评判标准，我们所要求的是真心渴望学习和快速学习。最终，我们能够在一天里教授一年的会计学课程。

虽然我们主要教授成年人，但是我们有很多年轻学生，有些学生只有 16 岁，他们坐在那些薪水丰厚、受过良好教育的 60 岁的企业经理们身边学习。

我们不是让学生通过考试进行竞争，而是让他们建立小组进行合作，然后，我们让这些小组通过考试开展竞争。我们没有让学生为分数努力学习，我们把兴奋点放在钱上，获胜者可以拿回全部学费。以小组为单位的竞争和渴望做好的愿望是强烈的，甚至不需要老师去激励学生，当竞争开始时，老师可以离开。在考试时间里，学生不必做到安静，他们可以呼喊、尖叫、大笑甚至哭泣。人们对于这种全新的学习感到如此的兴奋。他们被学习"启动"了……他们想学得更多。

我们的教学集中在这两个学科上：企业家精神和投资学，即象限的"B"和"I"象限。想用我们的教学方式学习这些科目的人络绎不绝。我们没有做广告，每一件事情都是传出去的。参加学习的人是想创造工作的人，而不是寻找工作的人。

自从那天晚上我在电话亭里决定不停下来之后，事情便开始有起色了。不到 5 年，我们拥有了一个价值数百万美元的企业，在世界各地共有 11 家分公司。我们建立了一个新的教育系统，而且深受市场欢迎。我们的热情使它成功，因为热情和一个好系统征服了恐惧和过去的系统。

老师能够变富

每当我听到老师们说他们的工资太低时，我都对他们表示同情。具有讽刺意味的是他们是他们自身系统规划下的一种产品。

他们被来自“E”象限的眼光看作是老师，而不是“B”或“I”象限的，记住你能成为你想成为的任何象限中的人……老师也是一样的。

我们能成为我们想成为的人

我们中的大部分人都有在所有象限中获得成功的潜力，这取决于我们有多大决心想获得成功。正如我的富爸爸所说：“充满热情地建立企业，不要畏惧。”

改变象限的困难通常出现在我们过去的环境中。许多人出自这样的家庭，在这种家庭里，恐惧感是使我们以某一特定方式思考和行动的主要推动力。例如：

“你做作业了吗？如果你不做作业，你会被学校开除的，你的朋友也会嘲笑你。”

“如果你坚持做鬼脸，你的脸将固定成那个样子。”

还有一些经典的句子：“如果你没有得高分，你将找不到安全、稳定、有福利的工作。”

好吧，今天有很多人得高分，但是工作的安全稳定更少，福利更少。如此多的人有好成绩，但他们不“考虑自己的企业”，而只是找一份只考虑别人企业的工作。

在左侧是有风险的

我认识很多朋友，他们仍旧在工作或职位中寻找保障性。但技术进步却以更快的速度向前推进，要想在工作市场中保持生存，每个人都将需要不断地学习最新技术。如果你无论如何都要再学习，那么为什么不花些时间学习象限右侧所需要的技能呢？如果人们能看到我在旅行世界时所见到的东西，那么他们将不会再寻找保障。在今天，保障只是一种遥远的传说。学习新事物，并勇敢地面对这个世界，不要幻想躲藏起来。

对于自由职业者来说，我认为也是有风险的。如果他们生病、受伤或受到任何事的影响而无法保证工作时间，他们的收入会受到直接影响。随着年龄的增长，我遇到越来越多的同龄自由职业者，他们因辛苦的工作而使体力、精神和情感几乎被耗尽。一个人忍受的疲劳越多，他们越觉得不安全，发生意外的风险也随之上升。

在象限右侧更安全

象限右侧的生活事实上更安全。例如，如果你拥有一个安全的系统，就可用越来越少的工作产生越来越多的钱。那么你事实上不需要一份工作，或者不需要担心失去工作，或者不需要量入为出。你不但不用量入为出，还可以增加你的财富。要挣更多的钱，你只需扩展你的系统和雇佣更多的人。

高等级的投资者不关心市场运行得是好是坏。因为他们在这两种情况下都能够运用他们的知识挣到钱。如果在未来 30 年里出现市场崩溃或萧条，许多在生育高峰时期出生的人都会惊慌失措，并且他们留作退休金的大部分钱将损失掉。如果这发生在他们已上年纪但还没有退休时，他们将不得不工作到他们不能工作为止。

至于赔钱的问题，职业投资者很少用他们自己的钱冒险，可是仍然能获得最高的回报。相反，正是那些不懂投资的人在冒险，并获得最少的回报。依我看，所有的风险都在象限左侧。

为什么象限左侧更有风险

“如果你不会读数字，那么你不得不听从别人的建议，”富爸爸说，“在购买房子时，你爸爸就盲目地接受了他的银行家的意见，还认为他的房子是一项资产。”

迈克和我都注意到他在强调“盲目地”这个词。

“事实上象限左侧的大部分人都对财务数字不是特别擅长，

但是如果你想在象限右侧获得成功，那么数字要成为你的眼睛，让你看到大部分人看不到的东西。”富爸爸继续说。

“就像超人的X射线一样。”迈克说。

富爸爸笑了，点了点头。“非常正确，”他说，“读懂数字、弄清财务系统和企业系统能使你看到一般人看不到的东西。拥有财务视觉可降低你的风险，相反，财务弱视会增加你的风险。如果你想要在象限右侧进行发展，就需要这种能力。事实上，用文字进行思考的象限左侧的人如果想在象限右侧，尤其是‘I’象限获得成功，就必须学会用数字……而不是用文字来思考。试图成为投资者，却依然保持旧的思维模式是非常危险的。”

“你是在说象限左侧的人不需要弄懂财务数字吗?”我问。

“对大部分人来说是这样的，”富爸爸说，“只要他们对在‘E’或‘S’象限中工作感到满意，那么他们在学校里学到的那些数字就足够用了。但是如果他们想到象限右侧去，那么了解财务数字和财务系统是至关重要的。此外，如果你想建立一个小企业，那么你不需要掌握数字。但是如果你想建立一个全世界范围的大企业，那么数字，而不是文字将意味着一切。这正是为什么许多大公司通常由财务总监控制运营的原因。”

富爸爸继续说，“如果你想在象限右侧获得成功，当涉及到钱时，你必须知道事实和建议之间的区别。你不能盲目听从象限左侧的人的意见。你必须了解你的数字，你必须清楚事实，而数字告诉你事实。”

谁付钱去冒险?

“象限左侧不仅有风险，处在这边的人还花钱去冒险。”富爸爸说。

“你这话是什么意思?”我问，“不是每个人都花钱去冒险吗?”

“不是，”富爸爸说，“象限右侧的人不是这样。”

“你是想说象限左侧的人花钱去冒险，而象限右侧的人为赚钱去冒险吗?”

“正是这样，”富爸爸微笑着说，“这是左右两边最大的不同，也正是左边比右边风险更大的原因。”

“你能举个例子吗？”我问。

“当然可以，”富爸爸说，“如果你购买一家公司的股票，谁承担财务风险？你，还是公司？”

“我想是我，”我仍然迷惑地说。

“如果我是一家医疗保险公司，我为你的健康保险，并承担你的健康风险，我付钱给你吗？”

“不是，”我说，“如果他们给我的健康保险，并承担这种风险，我得为此付钱给他们。”

“你说对了，”富爸爸说，“我还没有发现有任何一家保险公司，它为你的健康或意外风险保险，并付钱给你，但是象限左侧的人却正在做着类似的事情。”

“有点复杂，”迈克说，“我还是不太明白。”

富爸爸笑了，“一旦你对象限右侧的理解再深入一些，你便能更清楚地看到这种区别了。大多数人不知道存在着区别，他们只是认为每件事情都有风险，所以应该为此付出。但是随着时间的流逝，当你得到越来越多关于象限右侧的经验和知识时，你的视野将会开阔，你会看到左侧的人看不到的东西，你将明白为什么用寻找职业保障来回避风险是你所做的最危险的事情。你将发展你自己的财务视觉，而不是盲目地接受别人的建议，而且仅仅因为建议者有一个工作头衔，如银行家、股票经纪人、会计师或者其他的什么。你将有能力亲自观察，并知道财务事实和财务建议之间的区别。”

这是很有意义的一天。事实上，这是我上过的课程中最令人难忘的一课，因为它开始拓宽了我的视野，使我看到我过去无法看到的东西。

数字减少风险

如果没有富爸爸的这些简单而深刻的训导，我怀疑我是否能够用自己的热情构建起我梦想的教育系统。如果没有他对我的财务知识和准确性的构筑，我知道我无法这样聪明地进行投资，用如此少的钱获得如此高的回报。我始终记得他所说的，如果你想完成更大的计划，成功得更快，你需要更加准确。如果你想慢慢致富，或者终生工作，并让别人管理你的钱，那么你不需要如此准确。你想致富得越快，你对数字的使用就应该越准确。

可喜的是，由于技术进步和新产品的发展，今天，人们可以更加容易地学习到建立自己的系统所需要的技能，并且更加容易地迅速提高你的财商。

你能够走得很快，但不要走捷径

"为了减少纳税，你需要购买更大的房子，借更多的债务，以便使自己获得税收减免。"

"你的房子应该是你最大的投资。"

"你最好现在就买，否则房价会上涨。"

"慢慢致富。"

"量入为出。"

如果你花时间学习并学会象限右侧所需要的有关学科，那么这些话对你来说没有任何意义。它们对象限左侧的人来说可能有意义，但是对象限右侧的人来说却毫无意义。在象限右侧，你能够做任何你喜欢的事情，并且使事情进行得和你喜欢的一样快，挣到你希望挣到的钱，但是你必须付出努力。你可以快速进行，但是记住，不存在任何捷径。

这本书不涉及答案，这本书讨论的是从一个不同的视点观察财务挑战和目标。这不是说一个视点一定比另一个视点更好；只是，拥有不只一个视点更为明智。

在阅读下面几章的过程中，你可以开始从一个不同的视点观察财务、观察企业、观察生活。

第八章

我如何致富

当我被问到："你在哪儿学会致富方法"时，我回答说："小时候玩'大富翁'时学到的。"

一些人以为我在开玩笑，另一些人则等待下一句话，期望这只是个引子。然而，这不是一个玩笑，我不是在开玩笑。"大富翁"中的变富规则是简单的，但在生活中它也同样有效。

4 个绿房子，1 个红酒店

你或许还能回忆起"大富翁"中的致富秘密：就是先买 4 个绿房子，然后再把它们卖掉，再去买一所红色的大酒店……这就是全部规则，也是我妻子和我用来致富的规则。

当不动产市场变得很不好时，我们用我们手头有限的钱购买尽可能多的小住宅。当市场改善时，我们卖掉 4 个绿房子，然后买 1 个红色的大酒店。我们不必工作，因为我们的红色的大酒店、公寓和迷你住宅给我们的生活带来现金流。

这对汉堡包也有效

或者你不喜欢不动产，那么你还可以做汉堡包，建立汉堡包企业并授予特许经营权。几年后，不断增加的现金流会为你提供多于你支出的钱。

实际上，这就是通往巨大财富的最简单的途径。换句话说，在这个高科技的世界里，巨大财富的原理一直是简单的和低技术含量的，甚至可以说，这只是一个常识。但不幸的是，涉及到钱的问题时，对绝大多数人来说，常识也就不再成其为常识了。

例如，有些事情对我而言没有任何意义，包括为钱财损失提供的税收减免，以及终生负债的做法。再有就是诸如当你的房子是一项负债并且每天还要耗费你的现金时，你也称它为一项资产。或者认为政府花费的开支多于它所获得的税收。或者把孩子送到学校，希望他找到好工作，而不教给他任何的财务知识。

做富人做的事很容易

做富人做的事很容易。有非常多的富人在学校里的表现不是很好，这是因为变富的“做法”很简单，你不必上学就可以变富。致富的“做法”总不会比火箭科学还复杂。

我向你推荐一本经典图书：内波里恩·希尔的《思考与致富》。我年轻时读过这本书，这本书在很大程度上决定了我的生活方向。事实上，是富爸爸先建议我读这本书的，并且很多人都很喜欢它。

很容易解释为什么这本书叫作《思考与致富》，而不是《努力工作与致富》，或是《得到工作与致富》。实际上，最努力工作的人最终绝不会富有。如果你想变富，你需要“思考”，独立思考而不是盲从他人。我认为，富人最大的一项资产就是他们的思考方式与别人不同。如果你做别人做的事，你最终只会拥有别人拥有的东西。而对大部分人来说，他们拥有的是多年的辛苦工作，高额的税收和终生的债务。

当有人问我“要从象限左侧转到右侧，我必须做什么”时，我的回答通常是：“关键不是你要做什么，而是你‘思考’做什么以实现你希望的改变。也就是说，为了去‘做’需要被做的事情，你首先需要‘成为’谁。”

你想成为那种买4个绿房子然后很容易地把它们变成一个红色酒店的人吗？或是你想成为那种买4个绿房子然后很困难地把它们变成一个红色酒店的人吗？

几年前我上了一个“如何制定目标”的培训班。那是70年代中期，我简直不能相信我花了150美元和一个美丽的周末去学习如何确定目标，我宁愿去海边冲浪。可我却在付钱给别人，让他教我如何确定目标。有几次我几乎退出了，但是我从中学到的帮助我获得了我一生想要的东西。

老师在黑板上写下三个词：成为——→做——→拥有。

然后说，“目标是这三个词中的‘拥有’。这些目标包括拥有优美的身材、拥有完美的人际关系、拥有几百万美元、拥有健康、拥有名誉等。大部分人一旦确定了他们想要拥有的东西，即他们的目标，他们便开始列出他们要‘做’的事情。因此很多人都有‘要做的事情’的单子。他们确定目标然后开始‘做’。”

她先举了个减肥的例子。“大部分想拥有完美身材的人都节食，而后去健身房。坚持几个星期后，大部分人又开始吃薯条和比萨饼，并且不再去健身房，而是坐在家里看电视。这就是只追求‘做’而不重视‘成为’的例子。”

“这不单纯是节食的问题，这是你按照有效的食谱必须成为谁的问题。每年都有很多的人为了保持身材到处寻找完美的食谱。然而遗憾的是他们都把注意力集中在他们必须做的事情上，而不是他们必须成为什么样的人上，这种思想若得不到改变，再好的食谱也不会起作用。”

她又举了另外一个例子：“许多人寄希望于通过购买新的高尔夫球用具来改进他们的技能，而不是用一个职业高尔夫球手的态度、思维方式和信念进行训练。拥有一套新高尔夫球用具后的烦躁的高尔夫球手仍是一个烦躁的高尔夫球手。”

接着，她讨论起投资：“许多人认为买股票或共同基金能使他们变富。然而，事实是仅仅购买股票、共同基金、不动产和债券并不能使你变富。单纯地做职业投资者做的事情并不能保证财务上的成功，一个拥有失败者心理状态的人将一直失败，无论他们购买什么样的股票、债券、不动产或共同基金。”

接着，她又举了一个寻找完美的理想伴侣的例子。“很多人去酒吧或者去教堂寻找完美的人，他们梦想着完美的人，这是他们‘做’的事情。他们‘做’的事情是去找‘完美的人’，而不是努力‘成为完美的人’”。

另外一个案例是关于人际关系的：“在婚姻中，很多人试图改变对方，以使婚姻变得更幸福。而当他们试图改变对方时，这种做法往往会引起争斗，最好的做法应是先改变你自己。”她说“不要在对方身上下功夫，要在你对对方的看法上下功夫。”

当她谈论人际关系时，我想起了这些年来我认识的很多人他们试图“改变世界”，但总是一无所获。他们想改变别人，但惟独不想改变他们自己。

她又举了一个关于钱的例子。她说：“对于金钱问题，很多人试图‘做’富人做的事情，‘拥有’富人拥有的东西。因此他们购买看起来富丽堂皇的房屋，看起来昂贵的汽车，把孩子送到富人的孩子们才去的学校。这种做法的结果只是导致人们更努力‘做’工作，‘拥有’更多的债务，而这又使他们更努力地工作……这不是真正的富人做的事情。”

我坐在教室后面点头同意，富爸爸不这样解释事情，但他的确经常对我说：“人们认为，为钱努力工作会变富，可以买到使他们看起来很富贵的东西。但是大多数情况下并非如此，这只会使他们精疲力竭。他们把这称‘跟上乔纳斯’，但是如果你注意观察，就会发现乔纳斯已经精疲力竭了。”

在这个周末班上，许多富爸爸曾经告诉我的事情都开始变得更加清晰起来。多年来，他为人谦逊。他不是努力工作去付清账单，而是努力获取资产。如果你在街上看到他，会觉得他看起来与别人一样。他开着一辆二手卡车，而不是昂贵的轿车。在他最后的30年里，有一天，他摇身一变，成了一位金融巨人。人们注意到，他突然买下了夏威夷的一项主要不动产。当他的名字出现在报纸上时，人们才知道这个安静的不铺张招摇的人拥有许多企业和很多一流的不动产。并且，每当他说话时，他的银行家们都在倾听。很少人见过他居住的简朴的房屋，在他从他的资产中挣到很多的钱后，他为家人买了一所大的房子。他不用贷款，而是支付现金。

在那个周末班结束之后，我意识到，许多人在“做”富人应该做的事情，尽力“拥有”富人拥有的东西。他们通常会购买大房子，投资于股市，因为这是他们认为富人才做的事情。然而，富爸爸尽力想告诉我的是，如果他们仍旧持有穷人或中产阶级持有的信念和思想，难做着富人做的事情，那么他们最终将仍旧拥有穷人和中产阶级拥有的东西——财务困境，并且肯定会变得更加困窘。“成为⟶做⟶拥有”开始变得有意义。

现金流象限是关于成为……而不是做的……

从象限左侧转到象限右侧不是“做”的问题，而是“成为”的问题。

这不是“B”或者“I”所做的事情使之产生的差别，而是他

们如何“思考”产生了这种差别。他们是他们本质上的“那种人”。

可喜的是，改变你的思想不需要花钱，事实上，你可以免费做到。可悲的是，有时很难改变某些内心深处的核心思想，这些有关金钱的思想是通过代代相传获得的，或者是从你的朋友、你的工作和你的学校学来的。然而，只要你从思想深处意识到自己观念的陈旧，并真诚地想要改变自己的生活，你就一定能做到，这就是本书所主要讲述的内容。这不是一本关于“做什么”以实现财务自由的指南书，这里不讨论买什么股票或者买什么共同基金最安全，这本书主要讨论如何改变你的核心观念或财经思想(成为)，以便你能采取行动（做)，最终使你实现财务自由（拥有)。

安全性是“E”关心的事情

总而言之，“E”象限中的人谈论到金钱问题时，通常高度评价安全性。对于他们，通常是钱不如安全性重要。他们能在生活中的其他方面冒险，如跳伞和高山滑雪等，但是在金钱方面他们却害怕哪怕是极其微小的一点点风险。

完美主义是“S”关心的事情

这又是一个总结……我观察到那些现在处于“S”象限，但正尽力从象限左侧移到象限右侧的人几乎都有一种“亲力亲为”的精神状态。他们喜欢“自己做”，因为他们通常非常需要确信事情能否被做“好”，而且当他们看到别人没做“好”时，他们会非常难受，因此他们要亲自做。

对于很多“S”来说，真正重要的是“控制”，他们需要控制一切。他们憎恨犯错误，尤其憎恨的是别人犯错误却弄得他们看起来很糟糕，这使得他们成为优秀的“S”，并且，你可以因此雇用他们为你完成特定的任务。毕竟，你希望你的牙医是一位完美主义者，你希望你的律师是一位完美主义者，你希望你的建筑师是一位完美主义者，这是你付给他们钱的原因。这是他们的优点，但从另一个角度上看也是他们的弱点。

情 商

作为一个人，很重要的一个特点是具有人性，而人性就意味着有情感。我们都有相同的情感，我们都能感受到恐惧、悲伤、气愤、爱、恨、失望、欢乐、幸福和其他情感，使我们各不相同的原因是我们每个人对待这些情感有着不同的方式和对策。

对于投资风险，我们都体验到恐惧……即使是富人，区别在于我们对待恐惧的方式。对很多人来说，恐惧感会使其产生这样一种思想：安全地做事，别冒风险。

对于另一些人，尤其是象限右侧的人，对赔钱的恐惧使他们这样想："聪明地做事，学会驾驭风险。"

相同的情感，不同的思想……不同的类型……不同的做法……不同的结果。

对赔钱的恐惧

我认为，人类为钱而努力挣扎的最主要原因是对财务损失的恐惧。并且由于这种恐惧，他们通常做事过于谨慎，或者有较多的个人控制，或者干脆把钱交给他们认为的专家，希望并祈祷钱在他们需要时会随时出现。

如果恐惧使你成为现金流象限中一个区域的囚徒，我建议你读一读丹尼尔·格鲁曼的《情商》。在他的书中，格鲁曼解释了这样一个古老的问题：为什么在学校里成绩优秀的人在现实世界中并不总能获得财务上和事业上的成功。他的答案是情商比智商更有影响力，因此那些敢于冒险、犯错误然后改正错误的人会比那些因害怕风险而不犯错误的人做得更好。太多的人以优秀的分数毕业，而情感上却并没有准备好去冒险，尤其是财务风险。如此多的老师并不富有，原因就是他们在“惩罚犯错误的人的环境”中工作，而且他们自己通常是情感上害怕犯错误的人。相反，要想获得财务自由，我们需要学习如何犯错误和驾驭风险。

如果人们耗其一生担心赔钱，害怕做与众不同的事情，那么对他来说致富几乎是不可能的事情，即使其过程就像买四个绿房子然后再转换成一个红色酒店那样简单。

情商更重要

读完格鲁曼的书，我开始认识到，财商就是90%的情商和仅10%的财务技术信息。格鲁曼引用了16世纪鹿特丹的人类学家阿拉斯姆斯的话，此人曾经写过一篇关于理智和情感之间的紧张关系的讽刺性小说。在他的文章中，他用24:1的比率说明情感大脑与理智大脑的力量对比。换句话说，情感处于主要地位，情感比理智强大24倍。现在我不知道这个比率是否正确，但是作为情感思维与理智思维的力量对比的一种参考，这的确很有帮助。

24:1

情感大脑:理智大脑

我们所有人，如果我们是有人性的，都经历过情感战胜理智的情况。我肯定大部分人都曾有过：

1. 出于愤怒说出一些我们后来希望没有说过的话。
2. 被某个我们知道对我们不好的人所吸引，但我们仍然与他们一起出去，或更糟糕的是，与他们结婚。
3. 因为失去了爱人而哭泣，或者看到别人为此失声痛哭。
4. 故意做某事去伤害我们所爱的人，因为我们被伤害了。
5. 令我们的心破碎并好久不能恢复。

这些只是情感战胜理智的几个例子。

有时情感的力量超过24:1，这时我们通常称之为：

1. 上瘾，如贪食症、吸烟、性、购物狂、毒品。
2. 恐惧症，如对蛇、高度、紧张、空间、黑暗、陌生者的恐惧。

这些和其他一些行为通常是百分之百地由情感驱动，当某件事情像上瘾和恐惧症一样强烈时，理智几乎没有什么力量可以战胜情感。

恐蛇症

我在飞行学校时，有一位朋友得了恐蛇症。在一节关于如何在野外生存的课堂上，老师拿来一条去除了毒牙和毒腺的眼镜蛇，教我们如何吃它。我的朋友，一位成年人，跳起来叫着跑了出去。他不能控制他自己，不仅是因为他对蛇的强烈恐惧，而且还因为吃蛇的想法对于他的情感来说根本无法忍受。

恐钱症

面对金钱风险，我看到人们在做同样的事情。他们不是查明投资的情况，而是跳起来，尖叫着，跑出去。

关于金钱问题，还存在许多严重的情感恐惧症……数量太多而无法一一列举出来。我有这些病症，你们也有这些病症，所有人都有这些病症。为什么？因为不论喜欢与否，金钱是一种情感事物，并且因为它是一种情感事物，大多数人不能理智地对待金钱。如果你认为金钱不是情感事物，就请观察一下股票市场……。在其他大多数市场中，也和股市一样没有逻辑可言……只有贪婪和恐惧这两种情感。或者观察一下当人们钻进一辆新轿车，闻着里面皮革的味道，而推销员所做的就是在他们耳边小声说一些有魔力的话，“低首付，每月轻松支付”，这时所有的理智都跑到了窗外。

情感思想听起来很有道理

带有浓厚情感的思想所带来的问题是，它们听起来有道理。对于“E”象限中的人来说，当恐惧感存在时，理智是这样的：“安全地做事，别冒风险”。但是对于“I”象限中的人来说，这种想法完全没有道理。

对于“S”象限中的人来说，对于信任别人能完成好工作的问题，他们的理智思想可能是这样的：“不，我将自己去做。”

这是非常多的“S”型企业通常是家庭企业的一个原因，对于他们，“血必定浓于水”。

因此，不同的象限……不同的逻辑……不同的思想……不同的行动……不同的拥有……相同的情感。情感使我们成为人类，有情感是人性的一个重要部分。

决定我们做什么的是我们每个人对这些情感的反应方式。

我不喜欢它

想知道你是情感思考型还是理智思考型的一个方法就是注意你在交谈中使用“感觉”这个词的时候。例如，许多由情感或感觉支配的人会这样谈论事情：“今天我觉得不想锻炼。”很明显，从逻辑上他们知道他们应该锻炼。

许多在财务方面挣扎的人不能够控制他们自己的感觉，甚至他们让他们的感觉支配他们的思想。我听到他们说：

“我觉得我不喜欢学习投资，太麻烦了。”

“我觉得投资不适合我。”

“我不想把我的事情告诉我的朋友。”

“我讨厌被拒绝的感觉。”

父母——孩子——成人

这些也是来自情感而不是理智的思想，用流行心理学讲，这是父母与孩子之间的战斗。父母通常用“应该”说，例如，一个家长可能说：“你应该做你的作业。”而孩子则用“感觉”说话，例如，孩子会说：“但是我感觉我不喜欢做它。”

对于财务问题，你身体里的父母会安静地说：“你应该多挣些钱。”但是你身体里的孩子会回答说：“但是我的确感觉到喜欢度假。我将用我的信用卡度假。”

你何时成为成年人？

在从左象限移向右象限的过程中，我们需要成为成年人。我们都需要在财务方面成熟起来。我们需要用成年人而不是父母或孩子的眼光看待金钱、工作和投资。作为一个成年人就意味着你知道你必须做什么并且去做，即使你可能感觉并不喜欢做这件事。

内心的对白

对于试图从一个象限跨向另一个象限的人来说，这个过程的一个重要部分就是要知道你内心的对白。要始终记住《思考与致富》这本书的重要性。这个过程的一个深远意义是时刻警惕你沉默的思想和你内心的对话，并且始终记住，在一个象限中有道理的事情在另一个象限中或许根本没有意义。从工作保障或财务安全性到财务自由的过程主要是改变你的思想的过程，这是一个尽你最大努力知道哪些思想是基于情感的、哪些思想是基于理智的过程。如果你能阻止你的情感影响并努力朝你的理智方向发展，那么你就有很大可能完成这次旅行。无论别人在外边对你说什么，最重要的交谈是在你体内自己与自己的交谈。

在我太太和我暂时无家可归而且财务不稳定时，我们的情感失去了控制。很多次，听起来理智的事情实际上是纯情感的交谈。我们的情感说着朋友们说过的相同的话："安全地做事。只须找一份平稳安全的工作，就可享受生活。"

然而，在理智上，我们都承认，自由对于我们比安全更有意义。在追求财务自由的过程中，我们知道我们能够找到工作安全性所不能给予我们的安全感，这对于我们有很大的意义。在我们的路途中，惟一的问题就是我们受情感驱动的思想，听起来很有道理，但在长远来看没有任何意义。可喜的是，一旦我们征服了它，旧思想就停止了尖叫，我们渴望的新思想则成为了我们的现实，……"B"和"I"象限的思想。

今天，我能理解一个人说这样的话时的情感：

"我不能冒险，我要考虑家，我必须找份安全的工作。"

或者"挣钱首先要花钱，因此我不能投资。"

或者"我要自己做。"

我能感受到他们的思想，因为我自己也曾经有过这些思想。但是因为观察了象限的另一边并获得了来自"B"和"I"象限的财务自由，我能充满信心地说，拥有财务自由是一种更为平和与安全的生活方式。

"E"和"B"之间的差别

基本的情感价值观的不同会导致不同的观点。存在于企业主与企业雇员之间的斗争通常是由情感价值观的不同引起的。"E"和"B"之间总是存在着斗争，因为前者想要更多的工资，而后者则想要更多的工作。因此我们经常听到："我超时工作，却只得到低工资。"

而从另一方面我们又经常听到："我们要怎么做才能激励雇员更加努力地工作，使他们更忠诚，而且不用增加他们的工资呢？"

"B"和"I"之间的差别

另一种常见的紧张关系存在于同一企业中的企业经营者和企

业投资者即“B”和“I”之间。这时企业投资者通常被称做股东。一者想要更多的钱用于经营，另一者想要更多的股利。

股东会议上的谈话可能会是这样的：

公司经理们：“我们需要一架私人飞机以便我们的经理们能够更迅速地出席全球各地的业务会议。”

投资者：“我们需要更少的经理。并且，我们不需要私人飞机。”

“S”和“B”之间的差别

在商业交易中，我经常看到聪明的“S”，例如律师为“B”——企业主做了一笔价值几百万美元的交易。当交易结束时，律师的心情变得烦躁不安，因为“B”挣到了几百万，而“S”只得到了1小时的工资。

他们的对话可能是这样的：

律师：“我们做了所有的工作，而他挣了所有的钱。”

“B”：“这些家伙要了我们多少小时的工资？我们几乎能用给他们的工资买下整个律师事务所了。”

“E”和“I”之间的差别

另一个例子是一位银行经理给一位投资者提供贷款，以便购买一项不动产。投资者挣到几十万美元，并且不用纳税，而银行家得到一张工资单，并且要纳很高的税。这样的“E”和“I”之间的交易通常引起温和的情感反应。

“E”会说：“我给那个家伙贷款，他甚至连句谢谢都没说。他根本不知道我工作得有多辛苦。”

“I”可能会说：“天啊，这些家伙太挑剔了。看看这些我们不得不做的没用的文件，其实只是为了得到那么可怜的一点儿贷款。”

受情感扰动的婚姻

我见到过的最严重的受情感困扰的婚姻是这样一对夫妇，妻子完全是一位“E”，相信工作和财务的安全性。相反，丈夫戏称自己是一位得意的“I”。他认为他是未来的沃伦·巴菲特，但实际上他是一个“S”，一个只拥有佣金的职业推销员，但是内心里他希望自己是一个长期投机者。他总是在寻找能使他“迅速变富”的投资。他总是关心各种新股票的报价或者是那些承诺能带来非常高的回报的海外投资计划，或者是一项能获得期权的不动产交易。这对夫妇仍然在一起，但是两个人都把对方看成是傻瓜。一个人热衷冒险；另一个憎恶风险。不同的象限，不同的核心价值观。

如果你已婚或者处在情侣关系中

如果你已婚或者处在情侣关系中，圈出你的大部分收入来自的象限，然后画出你的配偶或者恋人的收入的主要来源象限。

我让你这样做是因为如果一方不知道另一方出自哪个象限，那么双方之间的交谈通常会变得很困难。

有钱人与有学问的人之间的冲突

我注意到，还有一个无须言明的战场，这就是有学问的人和有钱人之间的观点的冲突。

在我研究不同象限的差别的几年里，我经常听到银行家、律师、会计师和其他人无力地抱怨，说他们是有学问的人，但是通常是所谓的没有学问的人赚“大钱”。这就是我所说的有学问的人和有钱人之间的冲突，更是象限左侧的人和象限右侧的人之间的冲突……或者是“E－S”与“B－I”之间的冲突。“B”和“I”象限中的人并非没有学问，事实上这两个象限中的很多人非常有学问，只是很多“B”和“I”在学校里不是成绩优异的学生……并且没有在研究生院里被培训成律师、会计师和MBA。

我的《富爸爸，穷爸爸》一书，讲的就是有学问的人和有钱人之间的冲突。我的有学问但是贫穷的爸爸非常骄傲他在名牌大学如斯坦福大学和芝加哥大学里做过多年的学术研究并获得了博士的头衔，我的富爸爸则在他的父亲去逝时，不得已辍学去经营他父亲留下的企业……所以他没能读完高中，但他拥有了巨大的财富。

当我渐渐长大，并且看起来更受我的富有但是“没有学问”的爸爸的影响时，我的有学问的爸爸突然捍卫起他在生活中的地位来。我16岁时，有一天，我的有学问的爸爸不假思索地说：

“我有名牌大学的学位，你朋友的父亲有什么?”

我停了一下，答道：“钱和自由的时间。”

不只是思想上的改变

如前所述，要在“B”或“I”象限中成功不只是需要学术或技术知识，它通常还需要基本的情感思维、感情、信念和态度的改变。要记住：

富人所做的事情相当简单，只是“成为”是不同的。这种不同存在于他们的思想，更具体地说，存在于他们内心与自己的对话中。因此我的富爸爸不许我说：

“我付不起钱。”

“我做不到。”

“做事要稳妥。”

“别赔钱。”

“如果你失败了并且再也翻不了身，该怎么办？”

他不许我说这些话是因为他坚信，语言是人类最有影响力的工具，一个人所说的和所想的终将变为现实。

他经常引用《圣经》里的话，尽管他并不是那样热衷宗教：“语言变成血肉，留在我们体内。”

富爸爸坚信，我们对自己所说的话最终会变成现实。因此，我怀疑，对于那些为钱挣扎的人们来说，通常他们的情感而不是理智在讲话，并控制着他们的生活。这些话语包括：

“我永远也不会富有。”

“那主意不会有什么用处。”

“这对我来说太昂贵了。”

如果这些是情感驱动的思想，那么这些思想是有影响力的。可喜的是，思想可以通过交新朋友、寻求新思想的支持和一段时间来改变。

不能控制对赔钱的恐惧的人最好不要自己投资，他们最好是把这项工作交给专业人员并且不再干涉人家的工作。

有趣的是，我遇到过许多专业人员，他们在用别人的钱投资时，无所畏惧并能赚到很多的钱。但是当他们用自己的钱投资或冒险时，对赔钱的恐惧就会变得非常强烈，最终他们赔了钱。原因是当用自己的钱投资时，他们是用情感而不是用理智在思考。

我也遇到过一些人，他们用自己的钱投资，并且经常获胜，但是当别人委托他们代为投资时，他们却失去了往日的镇静。

挣钱和赔钱是一个情感问题，因此，我的富爸爸告诉我对待这些情感的方法。富爸爸总是说，“要想做一个成功的投资者或者企业主，你必须在情感上对赚钱和赔钱漠不关心，赚钱和赔钱只是游戏的一个部分。”

停止我的安全的工作

我的好朋友迈克有一个属于他的系统，这是他的父亲也就是我的富爸爸创建的。我没有那样的好运，我知道，某一天我将不得不离开家庭的舒适与安全，开始构建属于我自己的家。

1978 年，我辞去了在施乐公司的安全的全职工作，向前迈出了没有任何安全性可言的艰难的一步，头脑中的恐惧和怀疑是强烈的。当我在辞职信上签名，收起我的最后一份工资，并走出办公室时，我几乎因恐惧而瘫倒在地。我的内心进行了一场足以令人自我毁灭的思想和感情的斗争。我努力大声地“斥责”自己的软弱，并确信自己不能听到任何其他声音。这是一种好办法，因为有太多的曾和我一起工作过的人在说：“他会回来，他永远不会成功。”

问题是，我也在对自己说着同样的话。这些自我怀疑的情感话语在我心中徘徊多年，直到我妻子和我在“B”和“I”象限中获得成功。今天，我仍然听到这些话，只是它们对我的影响已经小多了。在我忍受自我怀疑的过程中，我学会了使用不同的一些语言，一些自我鼓励的话语，例如：

“保持冷静，头脑清醒，思想开放，继续前进，向前辈请教，信任，对更高的但有利于自己的需求保持信心。”

我学会使用这些自我鼓励的话，即使在我内心存在着恐惧和担心的时刻。

我知道，我的第一次行动几乎没有可能成功。然而，积极的人类情感，如信任、信心、勇气和友情推动着我前进。我知道我必须冒险，我也知道风险有可能导致错误，然而错误中会产生出智慧和知识，而这两者正是我所缺乏的。对于我，失败会让恐惧取胜，因此我宁愿没有任何保障地向前奋斗。我的富爸爸向我灌输了这种思想："失败是成功过程不可或缺的一部分。"

内心的旅程

从一个象限到另一个象限的过程实际上是一次内心的旅程。这是从一套基本信仰和技术技能转变到一套新的基本信仰和技术技能的旅程。这个过程很像学习骑自行车，起初你摔倒很多次，这让人感到受挫和困窘，尤其是当你的朋友们看着你的时候。但是一段时间后，你不再摔跤，骑车变得顺利而自如起来。即使你再次摔倒，你将不会在意，因为你现在知道你能站起来，接着再骑。这个过程与从工作安全性的情感思维方式转变到财务自由的情感思维方式的过程相同。当我妻子和我进行转变时，我们很少担心失败，因为我们相信我们有能力站起来。

对于我个人，有两句话鼓励着我不断前进。一句是在我就要放弃、打算回头时富爸爸对我说的："你任何时候都能停止……那么为什么要现在停下来呢?"

这句话让我保持精神振奋，心情平静。它提醒我，我正处在半途中……那么为什么要回头呢，回家的路途和到另一个象限一样远。这就好像哥伦布在横越大西洋时中途放弃，调头返回一样。两条路中的任何一条，距离都是相同的。

还有一个警告：智慧也在于知道何时停止。我总是遇到这样的人，他们如此固执，坚持继续进行根本不可能成功的计划。知道何时停止或者何时继续的道理是一个古老的问题，任何冒风险的人都有这个问题。解决"继续还是放弃"这个问题的一个办法是找一位已经成功地完成转变的人做导师，征求他们的建议。一个已经处在象限另一边的人能够很好地引导你，但是，要小心那些仅从书本上获得决策经验并靠讲授这些经验挣钱的人的建议。

另一段让我不断前进的话是：

"伟人经常犯错误，经常要摔倒，但虫子不会。因为，它们做的事情就是挖洞和爬行。"

这么多的人为钱挣扎的主要原因不是他们缺少良好的教育，

也不是因为他们没有努力工作，而是因为他们害怕失败。如果对失败的恐惧阻止着他们，那么他们已经失败了。

失败者抛开他们的胜利机会而保留了他们的失败机会。

对“成为”失败者的恐惧影响着人们以奇怪的方式“做”事。我看到有些人用20美元买了一支股票，并在它升到30美元时卖出了他们的股份，因为他们担心失去他们已经挣到的钱。于是，他们只能眼看着股票升到100美元，拆股，然后再次升到100美元。

还是这个人，用20美元购进一支股票，看到它跌至3美元还持在手中，希望价格反弹……他们可能持有这支3美元的股票20年。这是一个“成为”如此害怕失败，或害怕承认失败，并最终失败的人的例子。

胜利者除去他们的失败机会并保留他们的胜利机会

获胜者“做”事的方式与此完全相反。通常，当他们认识到处于不利地位时，比如说，他们的股票价格开始下跌而不是上升，他们会立即抛出并接受损失。这类人不会羞于承认他们蒙受了损失，因为一个获胜者知道失败是获胜过程的一部分。

当他们发现一个获胜机会，他们将尽可能地利用这个机会。当他们认识到免费的机会结束了，价格已经达到高峰时，他们会停下来并售出股票。

要成为一名伟大的投资者的关键是要对得失淡然处之。这样，当你思考问题时，就不会让受情感驱动的思想，如恐惧和贪婪，来支配你的行动。

在生活中失败者做着相同的事情

在现实生活中害怕失败的人做着相同的事情。我们都认识这样的人：

1. 那些维持不再有爱的婚姻的人们；

2. 那些坚持没有前途的工作的人们；

3. 那些保留他们永远不会使用的旧衣服和旧“物件”的人们；

4. 那些呆在对他们来说没有前途可言的城市中的人们；

5. 那些与阻碍他们前进的朋友交往的人们。

情商能被控制

财商与情商紧密相连。我认为，大多数遭受财务痛苦的人是因为他们的情感控制着他们的思想。作为人类，我们都有相同的情感。决定我们在生活中“做”不同的事情和“拥有”不同的东西的主要原因是我们如何对待这些情感。

例如，恐惧感能使一些人成为懦夫，同样的恐惧感可以使另一些人变得有勇气。不幸的是，在金钱方面，我们社会中的大多数人被限定为财务方面的懦夫。当对赔钱的恐惧上升时，大多数人的脑海里会自动地回响起这样一些话：

1. “安全”，而不是“自由”。

2. “避开风险”，而不是“学会管理风险”。

3. “平稳地做事”，而不是“聪明地做事”。

4. “我支付不起”，而不是“我怎样能支付得起”。

5. “太贵了”，而不是“长期看，它值多少钱呢”。

6. “多样化”，而不是“集中化”。

7. “我的朋友们会怎样想”，而不是“我怎样想”。

关于风险的智慧

风险是一门科学，尤其是财务风险。我读过的关于金钱和风险控制方面的最好的书之一是亚历山大·埃尔德博士写的《谋生的交易》。

虽然，这本书是为进行股票和期权交易的专业人员写的，但是其中关于风险和风险管理的智慧适用于关于金钱、金钱管理、个人心理学和投资学的所有领域。很多成功的“B”不总是成功的“I”的原因就是他们没有完全了解纯货币风险背后的心理学。虽然“B”了解有关企业系统和人员的风险，但是，他们的这种知识不总是适用于用钱挣钱的系统。

情感多于技术

总之，从左边象限移到右边象限的过程是情感多于技术的过程。如果人们不能控制他们的情感，我将不建议这种旅程。

象限右侧的事情使象限左侧的人看起来如此有风险的原因是恐惧感通常在影响他们思考。象限左侧的人认为“安全地做事”是一种理智的想法，而不是一种情感的想法。事实上，它是使人们保留在一个或另一个象限中的情感的想法。

象限右侧的人“做”的事情并不是那么困难。我可以诚实地说，要做到以低价买进绿房子，等待市场改善时，再卖掉它们，然后买一个红色酒店并不是一件难事。

对于象限右侧的人来说，生活事实上就是一场大富翁游戏。当然，存在着得到与失去，但这只是游戏的一部分。得与失也是生活的一部分。要在象限右侧获得成功就是要“成为”一个热爱这种游戏的人。泰格·伍德斯赔的钱比赚的钱还多，但是他仍然热爱这种游戏。唐纳德·特姆普破产了，但他没有因为赔钱而放弃，失败只是使他变得更聪明和更果断。很多有钱人在他们富有之前都曾经历过破产，这正是游戏的一部分。

如果一个人的情感在替他们自己思考，那么这些情感与思想通常会蒙蔽他们的眼睛使他们看不见任何其他事情。正是因为这些反射般的情感思想，使人们作出反应，而不是进行思考。正是这些情感，引起不同象限中人们的争论，即争论是由那些相同情感但没有相同观点的人们引起的。也正是这种情感反应使人们看不到在象限右侧，事情进行得是多么地容易，甚至能够做到没有风险。如果一个人不能控制他的情感思想，事实上有很多人都不能，那么他不应该尝试这种转变。

我鼓励所有想实现这种转变的人，要确保拥有长期积极支持你、陪伴你的人及一位位于象限另一边的引导你的导师。对于我来说，我妻子和我经历的奋斗是值得的。对于我们，从象限左侧迈向象限右侧的最重要的事情不是我们必须“做”什么，而是我们在这个过程中要“成为”什么样的人。每一个经历过的人都会深深感到：这是无价的。

第九章

当银行，而不是银行家

我已经讨论了“成为——→做——→拥有”这个公式中的“成为”部分，因为如果你没有正确的思维方式和态度，那么你就不能为现在或者即将发生在我们面前的巨大经济变化做好准备。通过“成为”拥有象限右侧的技能和思维方式的人，你将准备好能够识别眼前出现的机会和变化，并准备好去“做”能使你“拥有”财务成功的事情。

我记得富爸爸在 1986 年末给我打的一个电话：

“你在做不动产市场还是股票市场?”他问。

“都不是，”我回答说，“我把一切都投资在构建我的企业上。”

“很好，”他说，“不要进入任何市场，继续建立你的企业。有大事要发生。”

那年，美国国会通过了 1986 年税改法案。在动荡的 43 天里，国会革除了很多隐藏人们收入的税收漏洞。那些用财产收入的“正损失”进行税收减免的人们突然间承担了这些损失，因为政府取消了税收减免。整个美国，不动产价格开始下跌，财产价格开始下滑，有些价格甚至下滑了 70%之多。一夜之间，财产的价格远远低于了人们的抵押贷款数额。恐慌笼罩着整个金融市场，银行、储蓄和贷款也开始动荡，很多甚至失灵，人们不能从银行中取出他们的钱。接着华尔街在 1987 年 10 月发生狂跌，世界陷入了金融危机。

事实上，1986 年的税改法案革除的许多税收漏洞，是象限左侧的高收入的“E”和“S”所使用的。他们很多人投资于不动产或者有限合伙公司以便利用这些损失抵消来自“E”和（或）“S”象限的收入。然而当这场金融风暴和经济衰退试图影响到象限右侧，即“B”和“I”象限的人们时，他们的避税机制却依旧在继续发挥作用。

在这个时期，“E”学会了一个新词语，就是“缩小规模”。他们很快意识到，当一家公司宣布大规模裁员时，这家公司的股票价格就会上涨。可是，大部分人不知道原因何在。很多“S”也在挣扎着应付这场经济衰退，因为他们的生意在减少，保险费却在上涨，不断地在不动产和股票市场上赔钱。因此，我认为 1986 年税改法案的一个直接结果是，处在象限左侧的人们受到了伤害，并承担了最为严重的财务损失。

财富的转移

当象限左侧的人正在遭受痛苦时，“B”和“I”象限中的人却正在变富，因为政府正在把钱从左侧转向右侧。

通过改变税法，那些试图用“买不动产然后赔钱”方法进行投资以达到税收减免目的的“税收诡计”被革除。在这个时期之前，很多高薪雇员，或者专业人员，如医生、律师、会计师和小企业主，有如此多的应税收入以致他们的顾问告诉他们应去买不动产，赔掉一些钱，然后再用多余的钱投资于股票市场。当政府通过税改法案取消了这个税收漏洞时……一场最大规模的财富转移发生了。我认为，大部分财富从象限的“E”和“S”一边被拿到象限的“B”和“I”一边。

当储蓄和贷款被发行不良的贷款机构变为坏账时，几十亿美元的存款将面临着风险。这笔钱必须偿还，那么由谁偿还这笔几十亿美元的储蓄和不动产损失呢？当然是纳税人，是那些已经深受伤害的人们。由于这次税法变更，纳税人与几十亿美元的账单联系在了一起。

你们有些人可能还记得一个叫做决议信托公司的政府代理机构，简称 RTC，这是一个众所周知的名称。RTC 负责把抵押品从不动产危机中分离出来，然后交给知道如何处理它们的人。对于我和我的许多朋友，这就像是来自财富天堂的福音。

你还记得吗？钱，是要用头脑来观察的……而不仅仅是用眼睛看得到的东西。在这个时期，人们情感高涨，视力却变得模糊了，他们只能看到他们被训练看到的东西。于是在象限左侧的人们身上发生了三件事：

1. 恐慌遍及各处。当情感高涨时，财商通常会消失。因为人们如此关心他们的工作、不断贬值的财产、股票市场的下跌和商业的普遍降温，以致他们看不到就在他们眼前的机会，他们的情感思想使他们失明。大多数人不是向前迈进，扫除障碍，而是钻进洞里，躲藏起来。
2. 他们缺少象限右侧所需要的技术技能。就像一位医生需要通过几年的学校学习和实际工作培训才能获得技术技能一样，"B" 和 "I" 象限中的人也需要拥有高度专业化的技术技能。这些技术技能包括财务学，它可以让人们了解专业词汇、重新分配债务、安排报价、了解市场、筹集资本，以及掌握其他的可以学到的技能。

   当 RTC 说，"我们有一家银行出售，它的财产价值过去是两千万美元……但是现在你可以用 4 百万美元买到它"时，象限左侧的大部分人不知道如何筹集 4 百万美元去购买这个来自财富天堂的礼物，或者如何识别好交易与坏交易。
3. 他们缺少现金机器。大部分人不得不更加努力工作以求得生存。作为"B"，我可以不用什么体力劳动就可以使我的企业扩张。到 1990 年时，我的企业运营良好，并且不断成长。在这段时间，我的企业从一家新创办企业成长为世界范围内有 11 家分公司的集团公司。公司扩展得越大，我需要付出的体力就越少，而挣到的钱却越多。因为我的系统和该系统中的人正在努力工作。有了多余的钱和自由时间，我妻子和我可以花很多时间留心“交易”……而且的确存在很多交易。

这是最好的时期……这是最差的时期

有句话这样说：“不是生活中发生的事情在起作用，而是要看人们赋予所发生的事情何种意义。”

1986 年到 1996 年这段时期，对于一些人来说，是他们一生中最糟糕的时期。对于另一些人来说，却是最美好的时期。当我在 1986 年接到富爸爸的那个电话时，我知道这次经济变动给我提供了多么美妙的机会。虽然我那时没有很多的额外现金，但是我通过使用我的“B”和“I”技能，创造出了很多的资产。在本章末尾，我将详细描述我是如何创造资产，如何获得财务自由的。

成功且幸福的生活的关键之一是要有足够的灵活性，以便正确地应对生活中发生的任何变化，即能够做出准确反应，并把任何事情转化成好事。遗憾的是，大部分人不具备应对已发生和正在发生的突发经济变动的能力。有一件事情是人类的一件幸事：他们通常都很乐观，并且很健忘。10 到 12 年以后，他们会忘记……而到那时事情又会发生新的变化。

历史重演

今天，人们已或多或少地忘记了 1986 年的税改法案。“E”和“S”正在比以前更加努力地工作。为什么呢？因为他们的税收漏洞不存在了，当他们通过更加努力地工作以弥补他们的损失时，经济改善了，收入提高了。于是他们的税务会计师又开始低声讲述同样老套的智慧之语：

“去买一个更大的房子吧，债务利息是你最好的税收减免方式。此外，你的房子是一项资产，它应该是你最大的投资。”

所以，他们找寻“轻松每月支付”，然后卷进更深的债务之中。

住房市场开始繁荣，因为人们有了更多的可支配收入，且利率很低。人们正在买更大的房屋，他们的情绪高涨，并且他们也开始把钱投入股票市场，因为他们都想迅速变富，他们已经认识到需要为退休而投资了。

依我的观点，巨大的财富转移将再次发生。今年可能不会发生，但是马上就要发生，只是不会以完全相同的方式发生而已。因此富爸爸让我阅读有关经济史方面的书，经济学在改变，但是历史却总在重复。

钱继续从象限左侧流向右侧。这一点从未改变。许多人负债累累，却把钱投进世界历史上出现的最大的股票市场。就在象限左侧的谨慎的人最后克服恐惧、进入市场时，象限右侧的人将在市场最高点抛售。有新闻价值的事件将会发生，市场将会下跌，而当尘埃落定时，投资者会再次涌入，买回他们刚刚出售的东西。我们将再一次看到另一笔巨大的财富从象限左侧转移到象限的右侧。

至少需要 12 年的时间医治那些赔钱的人情感上的创伤……或许伤口将在另一个市场接近高峰时愈合。

就在那时，人们会开始引用纽约扬基棒球队队员约吉·贝拉的话："一切将重新开始。"

这是一个阴谋？

我经常听到人们，尤其是象限左侧的人说，由几个控制银行的巨富家族共同操纵着某种全球性的阴谋。这些金融阴谋理论已经存在多年。

真的有什么阴谋吗？我不知道。可能存在阴谋吗？任何事情都有可能。我知道一些有权力的家族控制着大笔大笔的钱，但一个集团能控制世界吗？我不这样认为。

我认为这种观点的产生或多或少反映了具有一种思维方式的象限一侧的一群人与具有另一种不同的思维方式的象限另一侧的

另一群人之间的对立。他们都在参与这场大规模的金钱游戏，但是他们处在不同的象限，从不同的视点，运用不同的规则参与这场游戏。

问题是，象限左侧的人看不到象限右侧的人正在做的事情，但是，象限右侧的人却清楚地知道象限左侧的人正在做什么。

捉拿巫师

象限左侧的很多人不是去查明象限右侧的人知道哪些他们不知道的东西，而是一心去捉拿巫师。仅仅几个世纪以前，当社会发生了一场瘟疫，或者发生了某种灾难时，全城的人都会去捉拿巫师，因为他们需要一个人为他们的困境接受惩罚。科学进步发明了显微镜，使人们看到了他们肉眼看不到的东西，而在看到细菌之前，人们把他们的疾病怪罪于他人，他们试图用把巫师绑在柱子上烧死的方法来解决问题，因为他们不知道大部分疾病是由于生活在垃圾和污水未经处理的城市环境中而产生的……根本不是什么所谓的“巫师”引起的。

然而今天，捉拿巫师的行动仍在进行着。很多人在为他们的财务困境寻找应该怪罪的巫师。这些人通常想把他们的个人财务问题归罪于富人，他们却没有发现，对金钱知识的缺乏才是造成他们的苦难的一个基本原因。

英雄变成了反面角色

每几年都会有一位新的财务专家出现，并且看起来有新的神奇的致富方式。70 年代末，正当亨特兄弟试图使白银市场陷入困境时，世界却在为他们的天才鼓掌喝彩。一夜之间，他们又被当作罪犯受到搜捕，因为如此多的人在听从了他们的建议之后赔了钱。80 年代末的垃圾债券国王米歇尔·麦尔肯，某天，他还是一位金融奇才，而就在金融风暴后，他受到追捕并被关进了监狱。主人公发生了改变，而历史只是在一遍遍地重演。

今天，我们又有了许多新的投资奇才。他们在电视上频频出现，名字印在报纸头条，他们是新的名人。他们当中有美国联邦储备委员会主席阿伦·格林斯潘。今天，他几乎是一个神，人们认为他创造了我们奇妙的经济。沃伦·巴菲特也被吹捧成一个接近于神的人物。当他买某种东西时，每个人都冲进来，购买他所买的东西；而当他卖出时，价格狂跌。比尔·盖茨也同样受到了密切关注，似乎钱总跟着他转。如果近期存在较大的市场调整，那么今天的英雄是否会成为明天被憎恨的人呢？只有时间会告诉我们。

在每一个经济“上升”期，都会有英雄问世，在每一个经济“下降”时期，也都会有“恶棍”出现。回顾历史，我们发现，“英雄”与“恶棍”经常是同一个人。人们总是需要为他们自己的财务损失找到巫师并烧死他，或者找出用来责备的所谓的阴谋家。历史还将会重演……巨大的财富转移将再次发生。那么当它发生时，你将位于这种转移的哪一边？左边还是右边？

我认为，人们只是没有认识到，他们正处在这个巨大的全球游戏之中……一个真正的空中俱乐部，也没有人告诉他们，他们是这场游戏中的重要一员。这场游戏的名字是“谁欠谁的债”。

要当银行……而不是银行家

在我25岁时，我明白了，游戏的结果是要成为银行，而不是找一份工作成为银行家。此刻我的高级财务教程开始了，就在这个时期，我的富爸爸让我查一些词汇，如“抵押贷款”、“不动产”和“金融”。我开始训练用我的大脑去看我的眼睛无法看到的东西。

富爸爸鼓励我学习、理解这种游戏，然后在我学会这种游戏之后，我能够用我发现的东西去做我想做的事情。我决定和对此有兴趣的所有的人分享我的知识。

他还让我读有关资本主义世界中一些重要人物的书。这些人包括约翰·D·洛克菲勒、J.P.摩根、亨利·福特。我读过的最重要的书之一是罗伯特·希尔布朗纳写的《世故的哲学家》。对于那些想在“B”和“I”象限中进行操作的人来说，这本书很有必要一读，因为这本书从亚当·斯密——《国富论》的作者开始，追溯了历史上所有的经济学家。这些人通过对现代资本主义的简短历史回顾，阐述了资本主义的发展过程。我认为，如果你想成为象限右侧的佼佼者，拥有理解历史和未来的经济历史观是非常重要的。

读完《世故的哲学家》之后，我建议你们读一读保罗·赞恩·帕尔热的《无尽的财富》、詹姆士·戴尔·戴维森的《最重要的人物》、罗伯特·普雷克特的《幸运时刻》和亨利·登特的《未来的繁荣》。希尔布朗纳的书告诉我们从经济学的角度如何看待事物发展的起因，其他作者的书则讲述了我们正在走向何方。他们对立的观点，让我看到了我的眼睛所看不到的东西……一些称做未来的事情。通过读这些书，我已经能够洞悉经济周期的上下波动和趋势。所有这些书的一个共同主题是——一次最大的经济变动就要发生。

如何操作银行

在1986年税改法案之后，存在着很多的机会，不动产、股票和企业都可以用低价获得。对于象限左侧的人来说，这是悲惨的时刻，然而对于我却是妙不可言，因为我可以利用我的“B”和“I”象限的技能去抓住我身边的机会。我没有变得贪婪，去追寻每一个看起来是一笔好交易的东西，而是决定集中精力于不动产市场。

为什么选择不动产呢？有5个简单的原因：

1. **价格**　不动产价格如此之低，以致抵押贷款支付比公平市场的大多数财产租金还要低得多。这些财产有着巨大的经济意义……即意味着没有什么风险。这就像商店里的大减价一样，每件商品都折价50%。

2. **融资**　银行给我的不动产提供贷款，而不给我的股票提供贷款。在市场萧条时，我想买进尽可能多的东西，因此我购买不动产以便我的现金能与银行的融资相结合。

例如：我现有 1 万美元的储蓄可以进行投资。如果我买股票，当然，我也能够买到价值 1 万美元的股票。我也能够进行借贷（当你用保证金进行买空时，你可以只花总成本的一小部分，其余的部分由经纪人公司借给你），但是我没有足够的财力去抵抗市场下滑的风险。

而用 1 万美元投资不动产，则可获得 90% 的贷款，我最终可以买到 10 万美元的财产。

如果两个市场都上升 10%，在股票市场上我会赚到 1 千美元，而在不动产市场上我将赚到 1 万美元。

3. **税收**　如果我用股票赚了 1 百万美元的利润，我要对我的利润付将近 30% 的资本所得税。但是，用不动产赚的这 1 百万美元可以把税收转移到下一笔不动产交易中。此外，我还能够通过财产折旧获得更大的税收好处。

重要的是，一项投资必须在我获得税收受益之前产生经济意义，我才会投资。任何的税收受益只会使投资更具吸引力。

4. **现金流**　虽然不动产价格下降，但是，租金没有下降。这使我能赚一些钱以支付抵押贷款，更重要的是使我有“时间”等待市场回升。租金使得我有时间去等待不动产价格再次上升。当价格上涨时，我能够出售这些不动产，虽然我负债很多，但是这永远不会伤害到我，因为租金远远高于贷款成本。

5. **成为银行的机会**　不动产使我成为一家银行，某种我从 1974 年起就一直想做的事情。

成为银行，而不是银行家

在《富爸爸，穷爸爸》一书中，我描写了富人如何挣钱，并经常扮演银行家的角色。下面是一个简单的例子，几乎每个人都能理解。

比如说，我发现一所价值10万美元的房子，但仅用8万美元就买下了它（1万美元的押金和我的7万美元的抵押贷款）。

接着我做了一个房屋出售广告，报价是10万美元，这是一个评估价，并用了一些充满魔力的广告词："降价销售房屋。房主悲痛欲绝。不须银行审批。低首付，轻松每月支付。"

电话铃响个不停。房子以"租赁购买协议"的方式售出，具体方式由你所在的国家决定。简单地说，就是我接受10万美元的借据后，卖了这所房子。这笔交易如下图所示：

我的资产负债表显示：

我的资产负债表

资产	负债
\$100,000 借据	\$70,000 分期付款

买方的资产负债表显示：

买方的资产负债表

资产	负债
	\$100,000 借据

然后，这笔交易在产权转让监督事务所注册，该机构通常能

够帮助完成支付过程。如果这个人在这笔 10 万美元交易中赖账，那么我只须取消合同，把这项财产卖给另一个想要“低首付、轻松每月支付”房子的人就可以了。寻找这种购房条件的人能排成长队。

净收益是我的资产项增加了 3 万美元，为此我收取利息，就像银行从它的贷款中获得利息一样。

我开始成为银行，并且我热爱它。如果你回忆上一章，富爸爸说：“当你借债时，你要小心。如果你个人借债，要确保数额小；如果你借大额债务，要确保别人能够替你支付。”

用象限右侧的语言说就是我化解了我的风险，我把风险“规避”给另一个买者。这就是金融世界里的游戏。

这种类型的交易全世界都在进行。然而无论我走到哪里人们总是走上来并对我说这样一种不可思议的话：“在这儿你不能这样做。”

大多数小投资者认识不到的是，许多大的商业建筑恰恰是用上面所描述的方式进行买卖的。有时他们通过银行，但是很多时候他们并不通过银行。

未储蓄的 3 万美元储蓄

在上一章中，我写了为什么政府不给人们的储蓄提供税收优惠。并且，我怀疑是否是银行会要求政府这样做，因为你的储蓄就是银行的负债。美国的储蓄利息率很低，就是因为银行不想让你从储蓄中获得好处。因此，下面这个例子就是扮演银行，不花大力气增加你的储蓄的一条途径。3 万美元带来的现金流表示如下：

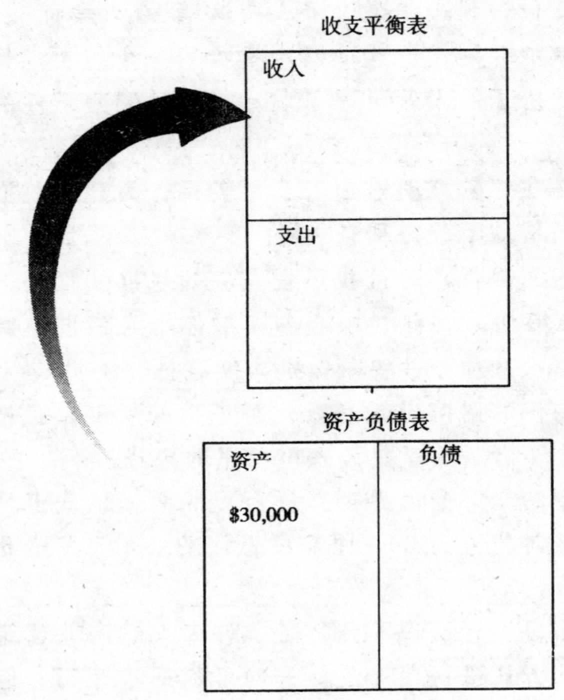

关于这个图，有几件有趣的事情：

1. 我决定这3万美元的利息率是10%。现在大多数银行的储蓄利率不超过5%。因此，即使我用我自己的1万美元做了首期支付，当然这是我尽量不做的事情，其利息仍要高于银行付给我的利息。
2. 我还创造了以前不存在的2万美元（3万美元收入－1万美元首期支付）。这就像银行……创造资产，然后对此收取利息。
3. 这2万美元是免税的。对于"E"象限中的一般人来说，几乎要挣4万美元的工资才能留下2万美元。雇员挣得的收入是五五开，政府通过扣除的方式在你见到它之前就已经拿走了收入的50%。
4. 所有的财产税、维修费和管理费用现在都由买主支付，因为我把财产卖给了他。

5. 还有更多。在象限右边，很多创造性的方法被用来从一无所有中创造金钱，只要你扮演的是银行的角色。

像这样的交易总共只会花 1 星期到 1 个月的时间。而对于大多数人，要花多长时间才能挣到 4 万美元，以便他们在扣除税收和其他有关支出后，能够留下 2 万美元的净收入呢？

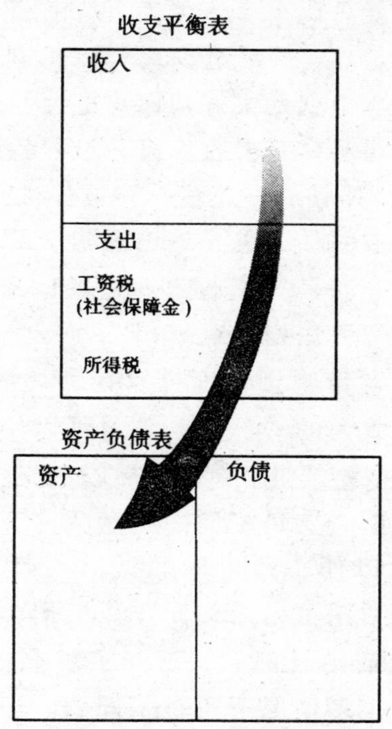

收入流被隐藏起来

在《富爸爸，穷爸爸》一书中，我曾简略描述了富爸爸经营公司的方式：

1. 资产保护。如果你很富有，人们倾向于通过法律手段拿走你的东西。这就叫“寻找深口袋的人”。富人在他们的名下通常没有任何钱，他们的资产被放在信托行和公司里以寻求保护。

2. 收入保护。通过你自己的公司接受来自资产的收入流，可避免政府通过正常渠道从你手中拿走很多收入。

有一个残酷的事实：如果你是一位雇员，过程就会如下：

挣钱——→被征税——→花钱

作为雇员，你的收入被征税，甚至是在你拿到工资单之前就已通过扣除的方式被拿走。因此如果雇员每年收入 3 万美元，在政府征税完毕后，就只剩下 1.5 万美元。你还必须用这 1.5 万美元支付你的抵押贷款。（但是至少你可以得到对抵押贷款利息支付的税收减免……这也就是银行劝你买更大的房子的原因。）

如果你通过公司实体获得收入流，过程就会如下：

挣钱——→花钱——→被征税

你最初投资创造的 3 万美元，已通过公司渠道流入，但你能够在政府征税前“花费”很多收入。如果你拥有企业，你可以制定规则……只要它与税法相一致。

例如，如果你制定规则，你可以在公司的规章制度里写进：儿童抚养费是雇员收入的一部分。公司可以用税前收入每月支付 400 美元的儿童抚养费。如果你用税后收入支付，你必须挣到 800 美元的税后收入才能去支付相同的儿童抚养费。这种规定是长期的，且是具体的，以便企业主能够抵销一些雇员无法抵销的费用，甚至某些旅行费用可以用税前收入抵销，只要你能证明你在旅行中进行了商业活动（例如，召开董事会议）。退休计划对于业主和雇员来说在很多情况下也是不同的。但我想强调的是，你必须遵守使这些费用能得到抵减的规章制度，利用税法规定合理避税是可能的，但是不应该触犯法律。

我要再次重申的是，能利用这些规定的关键是你的收入来自哪个象限。如果你的收入是作为公司雇员挣来的，并且这家公司不由你拥有或控制，那么除非违法，否则没有什么收入或资产保护措施是可以为你提供的。

因此，我建议如果你是一名雇员，请继续你的工作，但是你要开始在“B”或“I”象限多花些时间。你的快速通向自由的路途必须要经过这两个象限，感受更多财务安全的秘密需要在不止一个象限中进行操作。

自由的土地

几年以前，我妻子和我想购买一处地产以远离令人发疯的人群。我们急切地购买到有高大橡树和一条小溪穿过的几英亩土地，我们想开始享受隐居生活。

我们发现了一块地，面积为20英亩，价格是7.5万美元。卖主愿意接受10%的首期支付和10%的利息率。应该说这是一个公平的交易，问题是这桩买卖违反了富爸爸教给我的债务规则，即："在你借债时要小心。如果你个人借债，要保证数额较小；如果你借大额债务，你要保证有人为你支付。"

我妻子和我放弃了这块价格为7.5万美元的土地，继续寻找更合适的机会。对我们而言，7.5万美元意味着较大的债务，因为当时我们的现金流如下图所示：

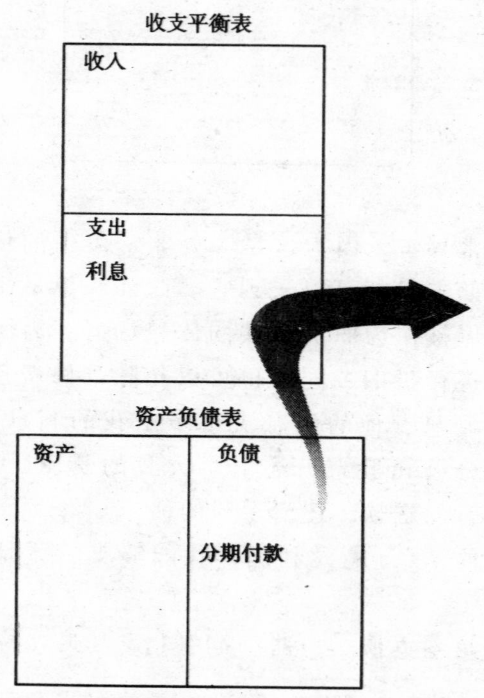

所以我们必须要记住我富爸爸的规则：

"如果你负债并且承担风险，那么你应该得到支付。"

但是，如果我接受了这次交易，那么在这次交易中，我借债和承担风险后，还要为此做出支付。

大约1个月后，我们发现了一块更为美丽的土地。面积为87英亩，有高大的橡树和一条小溪，还有一所房屋，总要价为11.5万美元。我愿付给卖主全价，如果他愿意满足我的条件……而他的确这样做了。为了缩短这个漫长的过程，我们花了一些钱装修房屋，并把房屋连同30英亩的土地以21.5万美元的价格卖了出去，方式依然是"低首期支付，轻松每月支付"，剩下的57英亩土地留给了我们自己。

下面就是我的平衡表显示的这次交易的进行情况。

资产负债表

资产	负债
$215,000	$115,000

新主人非常兴奋，因为这是一处非常美丽的住所，而且他几乎不用进行首期支付就可以买到它。此外，他是用公司的名义购买的，这所房屋被作为职员的共同休憩场所。为此他可按购买价对该公司资产进行折旧，同样也可以扣除维修费用。此外，他还能够税前支付利息，他的利息支付多于我的利息支付。几年后，他出售了一部分公司股票，还清了欠我的贷款，而我，反过来，还清了我欠银行的贷款，还清了我的债务。

用这额外的10万美元利润，我能够支付土地和房屋的财产税。

实际结果是零负债、一些利润（1.5万美元税后利润）和57

英亩美丽的土地。你得到了你想要的东西，同时还获得了收入。

现在，我的平衡表这样显示这次交易：

资产负债表

资产	负债
57英亩土地 $15,000 现金	

首次公开发行

首次公开发行（initial public offering，IPO）。通过股票发行使一家私人公司公众化，也是基于相同的原理。虽然用语、市场和参与者不同，但是潜在的基本原理是一样的。当我的机构变成一家公司上市时，我们通常从一无所有中创造价值。虽然，我们也尽力使它基于公平市场价格的准确评价之上。我们把股票投放到公开市场，这种股权不是卖给一个人，而是要卖给几千个人，使他们成为公司的股东。

经验的价值

这是我推荐人们在进入“I”象限之前先在“B”象限工作的另一个原因。无论投资不动产、企业、股票还是债券，都需要一种潜在的“综合性的”商业意识，这种意识对于成为一名成功的投资者来说是必要的。一些人有这种综合性意识，但是很多人没有。主要是因为学校把我们培养成高度专业化的人材，而不是综合性的人材。

还有一点，对于那些考虑进入“B”或“I”象限的人，我建议开始时要小规模……并且要花点时间。当你的信心和经验增长时，再去做更大的交易。记住，8万美元的交易与80万美元的交易之间的惟一区别是一个零。完成小额交易的过程与完成一个价值几百万美元的公开买卖的过程几乎是完全相同的，只不过后者涉及到更多的人，更多的零和更多的乐趣。

一旦一个人有了经验和良好的声誉，他将花越来越少的钱去做越来越大的投资。很多次，我不用任何钱就可以挣很多钱。为什么呢？经验是可贵的。就像前面陈述过的那样，如果你知道如何用钱挣钱，那么人们和钱就会拥向你。我的建议是：小规模地开始并利用好自己的时间，记住，经验比金钱更重要。

简单且容易

理论上，象限右侧的数字和交易是非常简单的，无论我们谈论的是股票、债券、不动产还是企业。在财务领域运用自如仅意味着能够用不同的方式思考……从不同的象限角度思考和充满勇气地按不同的方式做事。对于我而言，一个对这种思维方式还很陌生的人必须经历的最艰难的事情之一就是，会有无数的人对你说，“你不能那样做”。

如果你克服了那种思维限定，并遇到一些会对你说，“是的，我知道怎样做这件事，并且我很高兴教给你”的人时，你的生活将变得很容易。

法律

本章开头我介绍了 1986 年的税改法案。虽然这是一次意义深远的规则变更，但是它决不是最后的一次法规变动。我只是用 1986 年法案举例说明某些规则和法律的巨大影响力。如果一个人想在“B”或“I”象限中获得成功，那么他或她需要了解市场和影响市场的所有的法律上的变化。

今天，在美国，有 10 万多页的税法条例，这还只是国内收入署部分。联邦法律总共有 120 多万页的法律规定。一个人需花 2.3 万年的时间才读完整个美国法典。此外，每年还会有更多的法律产生、删除和变更。仅仅跟上这些变更就不只是一份全职工作能做完的。

每当人们对我说“那是违法的”，我只是反问他们，他们是否读过美国法典的每一行。如果他们说“是的”，我会慢慢离开，退回到门口，因为永远不要相信自认为知道每条法律的人。

要想在象限右侧获得成功，需要5%用眼睛和95%用大脑观察事物。了解法律和市场对于财务成功是至关重要的，财富的巨大转移通常发生在法律和市场变化时。因此如果你想让这些变化为你的利益工作而不是针对你，那么小心警惕是很重要的。

政府需要你的钱

我相信纳税的合理性，我也知道政府提供了很多重要并且关键的服务以便维护一个运作良好的文明社会。遗憾的是，我认为有些时候政府管理不善，机构过于庞大，说了太多不能信守的承诺。当然这不是今天坐在办公室里的政客们和法律制定者们的过错，因为我们今天面临的大多数财务问题是60多年前由他们的前任们造成的。今天的法律制订者正在尽力处理这些问题和寻找解决方法。不幸的是，如果法律制定者们还想呆在办公室里，那么他们就不能告诉大众事实真相。如果他们讲真话，他们会被抛出办公室……因为大众仍然依赖政府为他们解决财务和医疗问题。但是政府做不到，政府的能力正在变小，而问题正在变大。

同时，政府将不得不征更多的税……即使政客们许诺说不会这样做。正因为如此国会通过了1986年税改法案，以取消税收漏洞并收缴更多的税收。在接下来的几年中，我们的政府不得不开始多征税，以信守多年前的一些承诺。这些承诺包括医疗和社会保障、付给几百万联邦工人的联邦津贴等。大众现在可能不会意识到将会发生什么问题，但是问题的严重性预计到2010年将会变得清晰。世界将会认识到，美国也同样解决不了这些问题。

《福布斯》杂志曾刊登过一篇文章评论美国不断上升的债务：

“如果你留心观察，你会发现，2010年之前债务会下降，然后又会急剧上升，就在美国有史以来最大的一群人开始退休时债务会急剧上升。在2010年，第一批在生育高峰时期出生的人已经65岁，他们将开始从股票市场中撤回资金，而不是增加股票市场上的资金……如果不是更早的话；到2010年，7.5千万生育高峰时期出生的人将决定，他们最大的“资产”，即他们的住宅，太大了，因为他们的孩子已经离开家，他们将开始出售他们的大房子以便他们能搬到犯罪率较低的美国乡村和小城市中去。”

突然间，现行的退休金计划，即美国的401（K）计划，或者很多中等富裕国家的超级年金基金，将开始减少。开始减少的原因是因为它们遭受到市场波动的影响。这意味着退休金计划将随着市场上下波动。共同基金将开始清偿他们的股票以便支付那些出售协议，因为那些在生育高峰时期出生的人们需要钱支付他们的退休生活。这些人还将面对巨额的资本所得税，这些税是在这些共同基金带来的利得被取出时依法所应缴纳的。很多人将收到一张资本利得税单而不是现金，或许这是他们以前从未收到过的。记住，征税人总是先拿到钱。

同时，几百万更为贫穷的在生育高峰时期出生的人们的健康将开始衰退，因为有史以来穷人的健康状况总是要比富人的健康状况差。医疗保险将会濒临破产，要求更多政府支持的呼声将在全美的各个城市中上升。

此外，拥有最大的国民生产总值的中国和欧盟将对美国形成经济压力。我推测工资和产品价格都将被迫下降……而且生产率必须极大提高以便迎接这两大经济力量的挑战。

所有这些事将在2010年之前发生，而这个日期距离现在已经不再遥远。另一场巨大的财富转移将要发生，不是因为阴谋而是因为无知。我们正处在大政府和大企业的工业时代的最后时期，不管你愿不愿意，我们正在真正地步入信息时代。1989年，柏林墙倒塌了。依我的观点，这次事件的重要意义类同于1492年哥伦布在探索亚洲的过程中发现了美洲大陆的意义。在某些领域里，1492年是工业时代的正式开端，其结束时间是1989年。规则已经完全改变了。

历史是一位向导

我的富爸爸鼓励我学好这种游戏。在我学成之后，我能够用我了解的知识做我想做的事。然而多年以来，我发现有更多的人需要知道如何在财务方面照顾自己……而不是依靠政府或企业去获得生活的支持。正是出于这样一种关注和意识我开始写作和教书。

我希望我在经济方面的预见是错的。也许政府能够信守诺言照顾人们——通过继续增税和继续陷入更深的债务之中；也许股市将一直上升，永远不再下跌；也许不动产价格将一直上升，你的房子将成为你最好的投资；也许几百万人将在最低工资中发现幸福，并能为他们的家庭提供美好的生活。也许这些都能发生，但我不这样认为，如果历史是一位向导，这一切将不会发生。

从历史上看，如果人活到75岁，那么他将经历两次经济衰退和一次经济萧条。作为在生育高峰时期出生的人们，我们已经经历了两次经济衰退，但是还没有看见那次萧条。或许不再有什么经济萧条，但历史不这样说。富爸爸让我读有关资本家和经济学家的书，就是为了使我能够对我们来自何方和我们将走向何方这个问题有更长远的认识和更好的洞察力。

就像海上有风浪一样，市场上也同样存在着巨浪。与海洋上的风浪受风和太阳驱动不同，金融市场上的风浪受人类的两种情感驱动：贪婪和恐惧。我不认为经济萧条是过去的事情，因为我们都是人类，我们将一直具有贪婪和恐惧这两种情感。并且当贪婪和恐惧崩溃，人们损失惨重时，紧接着的人类情感是沮丧。沮丧由人类的两种情感所构成：气愤和悲伤——对自己的气愤和对损失的悲伤。经济萧条是情感萧条，是人们受到损失而变得沮丧。

即使经济总体可能看起来运行良好，但是很多人处在不同程度的沮丧之中。他们可能有工作，但是他们神情沮丧因为他们知道他们在财务方面不会走在前面。他们生自己的气，并为他们损失的时间而伤心。大部分人不知道他们已经受到工业时代的思想的束缚："找一份稳定、安全的工作，不要担心未来。"

巨大的变化和机会

我们正进入充满巨大变化和机遇的时代。对于一些人，这将是最好的时代，而对于另一些人，这将是最差的时代。

约翰·肯尼迪总统说："伟大的变化将要来临。"

肯尼迪来自于象限的"B-I"一边。他曾不顾一切地试图挽救那些陷于时代偏见中的人的生命。不幸的是，很多人今天仍然处在这种时代偏见之中，他们的头脑中仍深刻地保留着由前辈传下来的观念，例如："去上学以便你能找到一份安全的工作"。我深知在当今时代教育比以前任何时候都更重要，但是我们需要教育人们思考更多的东西，而不只是去寻找一份安全的工作，并期待公司或政府在他们退休时照顾他们。这是工业时代的思想，而我们现在已经不在那个时代了。

没有人说这是公平的，因为这不是一个公平的国家，但这是一个自由的国家。有人希望比别人工作更努力，头脑更聪明，更成功，更有天赋，或者渴望更好的生活。如果我们作出了决定，我们可以自由地追求这些野心。但是每当有人做得更好时，一些人就会说这不公平。这些人认为，只有富人与穷人共同分享，才会公平。然而，结果是仍然不会有人认为这是公平的，而且我们越是使事情公平，我们得到的自由也就越少。

当人们对我说，存在种族歧视或者"玻璃天顶"时，我表示赞同。我知道这样的事情存在。我个人憎恶任何的歧视，并且作为一个日裔美国人，我自己也受到过歧视。在象限左侧，歧视的确存在，尤其是在公司里。你的外貌，你的学校，无论你是白人、黑人、棕色人，或者黄种人，男人或者女人……所有这些事情在象限左侧都要考虑，但是在象限右侧这些没有丝毫的意义。象限右侧不关心公平或者安全，而是关心自由及对这种游戏的热爱。如果你想到象限右侧来，这些人会欢迎你。如果你参与并且获胜，那很好，他们将更加欢迎你，并向你寻求秘诀；如果你参与并且输掉，那么他们会很高兴地拿走你所有的钱，但是不要抱怨或者把你的失败怪罪于他人，这不是象限右侧进行游戏的方式。公平不是这种游戏的名字。

那么，为什么政府不干预“B－I”象限呢？

事实上，政府并不是不干预“B－I”象限，只是“B－I”象限有更多的途径合理地逃避和隐藏财富。在《富爸爸，穷爸爸》一书中，我谈到过公司力量的问题。富人保留住更多的财富，主要是因为他们通过公司而不是个人进行操作。个人需要护照往来于各国之间，而公司不需要，公司可以自由地旅行于世界各地，并且通常能自由地工作。个人需要到政府注册，而在美国他们需要有“绿卡”才能工作，公司则不需要。

虽然政府时刻想从公司实体中拿走更多的钱，但是他们认识到，如果他们滥用税法，公司会把他们的钱和工作都转移到别的国家去。在工业时代，人们谈论“离岸”是指国家，富人在那里寻找他们的钱能被很好对待的避税天堂。今天，“离岸”不是指国家，而是电子空间。概念上的、看不见的货币被隐藏在不可见的事物中，或者至少不在人类眼睛的视力范围内。很快，人们将通过在太空中环绕地球的同步卫星进行他们的融资活动。人们可以不受任何法律的约束，选择在一个其法律更有利于富人的国家中进行运作。

在《富爸爸，穷爸爸》一书中我提到，就在哥伦布发现充满财富的新大陆之后，公司在工业时代初期变得流行起来。每当富人派船只出海时，就意味着他在冒险，因为如果船只回不来，他就要欠死亡海员的家人的钱。他不希望这样，因此他通过成立公司来寻求法律保护，并把损失与风险限制在资本金额内。富人用钱冒险，而海员用他们的生命冒险，从那时起这类事情就没再发生过什么改变。

无论我在世界上哪个地方旅行，与我打交道的人主要以这种方式在做事。作为他们自己的公司的雇员，理论上，他们一无所有，并且事实上作为公民个人，他们也一无所有。但作为他们自己的富有的公司的长官，情况则不相同。再有就是无论我到世界什么地方，我总能遇到一些人对我说："在这个国家你不能这样做，这样做就触犯了法律。"

大多数人没有认识到，在西方世界里，大多数国家的法律都是相同的。他们可能用不同的语言描述相同的事情，但是原则上他们的法律完全相同。

我建议，如果可能的话，你至少应考虑成为你自己公司的一名雇员，对于高收入的"S"和"B"，这个建议尤其可行，即使你们拥有特许经营权。去征求有能力的财务顾问的建议吧，他们能针对你的特殊情况，帮助你选择和实施最好的方案。

有两种法律

从表面上看，似乎存在针对富人的法律和针对其他人的法律。但实际上，法律是相同的。惟一的不同是富人利用法律实现他们的利益，而穷人和中产者却没有，这是最基本的差别。法律是相同的，是为每个人而写，我建议你雇一位聪明的顾问并遵守法律，合法地挣钱，而不是触犯法律，否则最终入狱是非常容易的。此外，你的法律顾问将作为你的早期警告系统，告诉你即将到来的法律变化，记住，当法律变化时，财富会发生转移。

两种选择

在自由社会中生活的一个好处就是选择的自由。依我看，存在两大选择——安全选择和自由选择。如果你选择安全，那么你将为了这种安全以过量的税收和惩罚性的利息支付的形式支付高价；如果你选择自由，那么你需要学会整个游戏并参与这种游戏，而且将由你选择在哪个象限中参与这种游戏。

本书的第一部分定义了现金流象限的具体内容，而第二部分则集中描述了象限右侧的人具有的思维方式和态度。因此，现在你应该知道你正处在哪个象限，以及你想去哪个象限。你应该对象限右侧的思想过程和思维方式有一个更好的了解。

虽然我已经向你介绍了从象限左侧移到右侧的途径，但是我现在愿意为你提供更多的细节。在本书的最后部分——第三部分，我将告诉你寻找快速财务路径的7个步骤，我认为这对于转移到象限右侧是非常必要的。

背景注释

1943年，美国开始通过工薪扣款向所有工作的美国人征税。换句话说，政府在“E”象限中的人获得支付之前得到支付。任何单纯位于“E”象限的人几乎都不能逃脱政府的税收。这意味着不再是第16次修改法案的意愿，即只对富人征税，而是对象限左侧的每一个人，无论富有还是贫穷，都要征税。就像前面陈述过的一样，在美国，收入最低的人按税率要缴纳比富人和中产阶级还高的税收。

1986年，税改法案是针对“S”象限中的高收入的专业人员的。这项法案特别列出了医生、律师、建筑师、牙医、工程师和其他类似职业，这使得这些人在可能的情况下按照富人在“B”和“I”象限中的方式隐藏收入变得更加困难。

这些专业人员被迫通过S型企业而不是C型企业经营他们的企业，否则将支付税收罚款。富人不付这种罚款。这样，那些高佣金的专业人员的收入不得不通过S型企业获得并且按尽可能高的个人税率纳税，他们没有机会通过运用C型企业的税收减免规定隐藏他们的收入。并且，几乎同时，法律被变更为迫使所有的S型企业按日历年度结算，这再次迫使所有的收入都将按最高税率纳税。

当我最近和我的个人会计师议论这些变更时，她提醒我说，对那些新开业的自由职业者来说，最大的震惊通常在他们第一年的业务结束时，到那时他们将认识到他们支付的最大税收是“自我雇佣”税。这种针对“S”，即自由职业者的税是他们作为“E”即雇员时所纳税额的两倍，而且这是在已扣除法定扣减项目或个人豁免之后的收入基础上计算出来的。很可能自由职业者没有任何应税收入，却要照旧支付自我雇佣税。相反，企业不必支付自我雇佣税。

1986年税改法案还有效地推动了美国的“E”和“S”走出不动产投资领域，进入证券资产领域，如股票和共同基金投资市场。一旦缩小规模开始，很多人不仅感觉到他们的工作更不安全，而且会感到他们的退休生活也不再有保障，因此他们正在把他们未来的财务命运置于受市场上下波动影响的证券资产上。

1986年税改法案的另一规定是关闭较小规模的美国社区银行，并把整个银行业转变为几家大的国有银行。我推测，这样做的原因是想使美国能够与德国和日本的大银行相抗衡。如果这就是这一规定的意图的话，那么这一改变已获得成功。今天在美国，银行业已经更小范围地由个人或者单纯几个人拥有，而这样做的另一结果是对于某些阶层的人来说，更难获得住房贷款。今天，不再是由一个小城镇的银行职员通过你的性格了解你，而是如果你不能满足计算机的非人格化的资格要求，那么计算机主机将把你的名字从允许贷款者的名单上勾掉。

在1986年税改法案之后，正如我的富爸爸在40年前告诉我的那样：“建立企业和购买不动产”。富人们继续挣到更多的钱，工作得更少，支付较少的税，享受更多的资产保护，他们通过C型企业挣到很多的钱，并通过不动产掩盖他们的收入。当众多的美国人工作并支付越来越多的税收，接着几十亿美元流入共同基金市场时，富人们正安静地出售着他们C型企业的股票，挣更多的钱，然后花几十亿美元购买不动产。C型企业的股票使买者分享拥有企业的风险，而股票并没有使股东获得C型企业和不动产投资的好处。

为什么我的富爸爸建议建立C型企业，然后购买不动产呢？因为税法给这样做的人提供奖励，但这不是本书所要讨论的话题。只要记住这些巨富如瑞·格罗克这个麦当劳的创建者所说的话就行了：

“我的业务不是做汉堡包，我的业务是不动产”。

我的富爸爸对我说，

“建立企业，然后购买不动产。”

换句话说，就是要通过充分利用税法，在现金流象限右侧找到财富。.

1990年，乔治·布什总统在承诺“请看看我的嘴，不会有任何新税收”之后，提高了税收；1992年，克林顿总统把近代历史上最大的赋税增加写进了法律，这次增加影响了“E”和“S”，但大部分“B”和“I”没有受到任何影响。

当我们一步步地远离工业时代，进入信息时代时，我们需要收集来自不同象限的信息，在信息时代，高质量的信息才是我们最重要的资产。正如埃里克·霍特所说，

“在变化的时代里……
学习者是地球的继承人，
而学习的人
发现他们自己已被很好地武装，
以面对一个
已不存在的世界。”

请记住

每个人的财务状况是不同的，因此我始终建议：

1. 寻找你能发现的最好的职业和财务建议。例如，C型企业可能在一些事例中很有效，但并不是在所有的情况下都有效。甚至在象限右侧，有时一个S型企业也很适合。

2. 记住：为富人、穷人和中产阶级服务的顾问不同，就像存在分别为象限右侧和左侧的人服务的顾问一样。还要考虑寻求那些已经成功的人士的建议。

3. 不要因为税收缘故进行商业或投资活动。税收漏洞是按照政府要求的方式做事的一种额外奖励，它应该是一种奖金，而不是理由。

4. 如果你是一位非美国公民的读者，这些建议仍然有效。我们的法律可能不同，但是寻找有价值的建议的原理是相同的，整个世界象限右侧的人所进行的操作都是非常相似的。

第三部分

如何成为成功的“B”和“I”

第十章
采用初级步骤

我们都听说过这句话："千里之行，始于足下。"我把这句话略微修改了一下，我将说："千里之行，始于初步。"

我强调这点是因为我见过太多的人试图向前迈出"伟大的一步"而不是采取初级步骤进行。我们都看见过这样一些人，他们的身体非常肥胖，于是决定减掉 20 磅的体重，并恢复好的体型。他们开始疯狂节食，每天去两个小时的健身房，然后慢跑 10 英里。这样持续了可能 1 个星期后，他们减轻了几磅重量，然而这时痛苦、烦躁和饥饿开始消磨他们的意志力和决心。到了第三周，他们的老毛病——过度饮食、缺乏锻炼和看电视再次失控。

我的建议是：不要总想向前迈出"伟大的一步"，而是要采用初级步骤法前进。长期的财务成功不是用你的步子有多大来衡量的，而是用步数、前进的方向和年数来衡量的。事实上，这是适用于任何成功或失败的公式。对于金钱，我见过太多的人，包括我自己，试图用太少的付出做出太多的事情……然而这样做的后果只能是崩溃和灭亡。在你首先需要一把梯子把自己从你亲手挖的财务深坑里解救出来时，你很难向前迈出哪怕是一小步。

如何吃下一头大象？

本书的这一部分将描述 7 个步骤，用来指导你通往象限右侧的路程。在我的富爸爸的指导下,我从9岁起就开始实践这7个步骤。只要我活着,我将继续这样的实践。在你阅读这7个步骤之前,我提醒你,对于一些人而言,这个任务是艰巨的,特别是如果你想在1个星期内完成,那么更是如此。因此请从一小步开始。

我们都听说过这句话,“罗马不是在一天之内建成的”。每当我发现自己快被我必须学习的“你如何吃掉一头大象”这类东西压得喘不过气来时,我都使用这句话,答案是,“每次吃一口”。这也是当你在实现从“E”和“S”象限转移到“B”和“I”象限的过程中,感到被你所必须学习的东西压得透不过气时,我推荐给你的处理方式。请善待自己,并且认识到这种转变不只是一个智力学习的过程,还是一个情感学习的过程。在你用半年到一年时间学习这些最初级的步骤之后,你会适应这句话,“在你能跑之前必须学会走”。换句话说,你要经历婴儿学步,走路,然后是跑的过程,这是我推荐的路径。如果你不喜欢这条路径,那么你可以做那些想以快速简单的方式迅速变富的人所做的事情,那就是买彩票。谁知道呢?也许哪天就是你的幸运日。

行动胜于不行动

我认为,“E”和“S”很难移到“B”和“I”象限中的主要原因之一就是他们太害怕犯错误。他们经常说:“我害怕失败。”或者会说:“我需要更多的知识,或者你能再推荐一本书吗?”他们的恐惧或自我怀疑是使他们困在他们的象限中的主要因素。请花时间阅读这7个步骤,并实践每个步骤。对于大多数人而言,最初的一步就足够使你踏上迈向“B”和“I”象限的旅途,只是开始这第一个步骤就可以为你打开可能的和变化的全新世界。然后,你只须继续采取后面的步骤就可以了。

耐克的口号是“只要做就好”,这个口号最能阐释这一点。遗憾的是,我们的学校却在说:“别犯错误”。很多受过良好教育的人想采取行动,却被这种情感上怕犯错误的恐惧束缚而无法行动。作为老师,我认为最重要的教育之一就是真正的智力、情感和体力的学习。因此，行动总是胜过不行动。如果你行动并犯错误，至少你在智力、情感和（或）体力方面知道了某些事情应该怎样做。一个不停地寻找“正确”答案的人易于患有“分析瘫痪症”，这种病看起来影响了很多有学问的人。其实，我们学习是通过犯错误实现的。我们通过犯错误学会了走路和骑车以至开车。出于对犯错误的恐惧而害怕采取行动的人可能在智力上是聪明的，但是在情感和体力的能力上却是低下的。

几年前有人曾做过一项全世界富人和穷人的研究。这次研究想查明出身贫寒的人如何最终变富。该研究发现，这些人无论生活在哪个国家，都具备三种特性：

1. 他们持有长期的展望和计划。
2. 他们相信延迟的回报。
3. 他们以有利于自己的方式运用复利力量。

该研究发现，这些人长期地思考和计划，并且知道通过坚持梦想或展望未来最终能够获得财务成功。基于相信被延迟的回报，他们愿意做出短期牺牲去实现长期的成功。阿尔伯特·爱因斯坦惊讶于钱是如何通过复利方法翻倍的，他认为复利计息是人类最惊人的发明之一。复利力量还把复利计算法推到钱以外的另一个层面之上，它强调学习过程中的每一个最初的步骤经过多年后都将复利化。没有进行这些步骤的人将得不到扩大知识和经验积累的杠杆，知识和经验的积累来自“复利计息”。

这项研究还发现了引起人们由富变穷的因素。有很多富裕的家族仅经历了三代就损失了大部分家产。该研究发现这些人拥有以下三种特征：

1. 他们目光短浅。
2. 他们渴望即时回报。
3. 他们滥用复利力量。

今天，我遇到一些人，他们对我很失望，因为他们想让我告诉他们现在如何能挣到更多的钱。他们不喜欢从长期角度考虑问题。很多人不顾一切地寻求短期答案，因为他们今天有很多金钱问题需要解决，如消费者信贷和缺少投资，这些都是由于他们对即时回报的不可控制的欲望造成的。他们认为，“在我们年轻时，应该尽情地吃喝玩乐”。这种做法滥用了复利的力量，导致长期负债，而不是长期财富。

他们想要快速的解决办法和答案，并想让我告诉他们“应该做什么”。他们只是想得到解决长期问题的短期答案，而不是倾听“为获取财富，为了去‘做’他们应成为‘谁’”。换句话说，太多的人固守“迅速变富”的生活哲学。对于这些人，我只能祝愿他们好运，因为幸运是他们将来所需要的东西。

一个热心的提示

我们大多数人都听说过，写下自己目标的人比没有写下自己目标的人会更成功。有一位名叫雷蒙德·艾伦的老师，来自加拿大的安大略省，他有一些关于销售、目标设定、增加收入和如何成为一名更好的直销工作人员等课程的学习班和磁带。虽然现在有很多人教这些课目，但是我推荐他的课程，因为他对这些重要的课目有一些非常惊彩的见解，这些见解能够帮助你在商业和投资领域中获得更多你想要的东西。

在目标设定这门课里，他建议采取初级步骤进行活动而不是迈开大步向前。他建议每个人应该有伟大的长远梦想和希望，然而，对于目标设定，他建议人们做一个不太成功的人，而不是过度成功的人，也就是说，采取初级步骤。例如，如果我想拥有漂亮的身材，他推荐我通过做比自己想做的事情要少的事情来使自己不太成功，而不是试图向前迈出一大步。不是去健身房一个小时，而是只去20分钟。换句话说，设定一个不太成功的目标，然后迫使自己坚持它。这样你就不会觉得压力太大，而是觉得能够应付。由于觉得自己能够应付，我发现自己渴望去健身房，或做生活中其他需要我做或改变的事情。奇怪的是，今天我发现自己通过做一个不太成功的人，而不是折磨自己去做一个过度成功的人而获得了成功。总之，拥有宏伟的大胆的梦想，然后每天做一点事情，也就是说，用小步而不是迈大步越过悬崖。设定可达到的每日目标，这样，当你实现目标后，就会有一种积极的强化力量帮助你沿着通向远大目标的道路不断前进。

我设定小目标的一个例子是，我订了一个目标，每周听两盘录音磁带。我可以听同一盘磁带两遍或者更多遍，如果它很不错的话，但是这仍然算是一周两盘。我妻子和我有一个目标，每年参加至少两个关于“B”和“I”象限的学习班。我们和“B”和“I”象限中的技术专家一起度假。在我们游戏、休息和出外进餐时我们又学习到了很多东西。这些是在设定小目标，却是向伟大而大胆的梦想前进的方法。我感谢雷蒙德·艾伦，他的关于目标设定的磁带帮助我在更少的压力下获得更多的成功。

现在继续读下去，并记住大胆梦想，长远考虑，每天设定一个目标，并采取小步骤进行。这是获得长期成功的关键，也是实现从现金流象限左侧到右侧的转移的关键。

如果想变富，你必须改变你的规则

人们通常引用我的话“规则已经变了”。当人们听到这句话时，他们点头表示同意并说：“是的，规则已经变了，一切都不再相同了。”但是说完之后，他们却继续做着同样的事情。

工业时代的财务报表

当我教“让你的财务生活变得有序”这门课时，我首先让学生填一份个人财务报表，这是一次改变生活的经历。财务报表非常像X射线，因为财务报表和X射线都能让你的眼睛看到在没有任何工具借助的情况下所不能看到的东西。在学生们填完他们的报表后，很容易看出谁有“财务顽疾”，谁财务状况良好。一般来说，拥有财务顽疾的人是那些具有工业时代思想的人。

为什么这样说呢？因为在工业时代，人们不必考虑明天。它的规则是："努力工作，你的雇主或政府将会在未来照顾你"。因此在我的朋友和亲人中，有如此多的人经常说："找一份政府工作，有相当不错的福利待遇。"或者说："要确信你工作的公司有好的退休计划。"或者说："要确信你工作的公司有一个势力强大的工会。"这些是基于工业时代规则的建议，我把它称做"权利"意识。虽然规则已经改变了，但是很多人还没有改变他们的个人规则，尤其是他们的财务规则。他们仍然像不必为将来计划时一样进行花费。这就是我在阅读一个人的财务报表时所要寻找的东西——他们是否为明天考虑。

你还有明天吗？

让事情简单化——这是我在个人财务报表上所寻找的东西。

收支平衡表

收入
支出 （今天）

资产负债表

资产	负债
（明天）	（昨天）

没有资产、现金流出的人没有明天。我发现那些没有资产的人，通常是为工资而努力工作，并用工资支付账单的人。如果你观察大多数人的“支出项目”，你会发现两项最大的月支出是税收和长期负债的债务。他们的支出状况如下：

收支平衡表

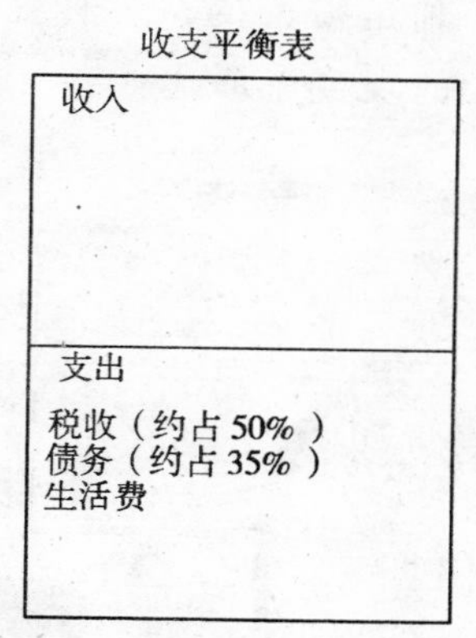

资产负债表

资产	负债

换句话说，政府和银行在他们得到支付前已拿走了一部分。不能控制他们的现金流的人们通常没有财务未来，并且几年以后他们将发现自己已处于严重的财务困境之中。

为什么呢？原因是仅处在“E”象限中的人几乎没有税务和债务保护。甚至“S”对这两个财务顽疾也无能为力。

如果本章对你来说不好理解，那么我会建议你阅读或者重新阅读《富爸爸，穷爸爸》这本书，它将使本章和下面几章更容易理解。

三种现金流形式

就像在《富爸爸，穷爸爸》一书中所陈述的那样，存在三种基本的现金流形式：一种是富人的，一种是穷人的，另一种是中产阶级的。下面是穷人的现金流形式：

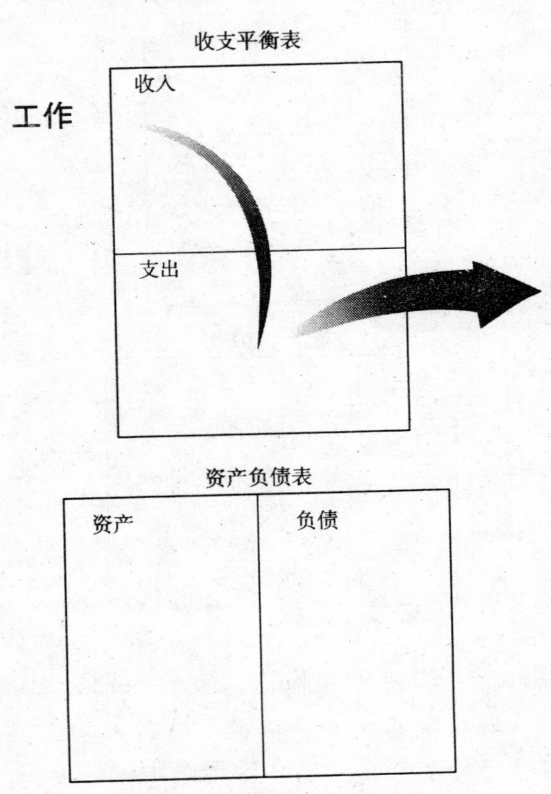

下面是中产阶级的现金流形式：

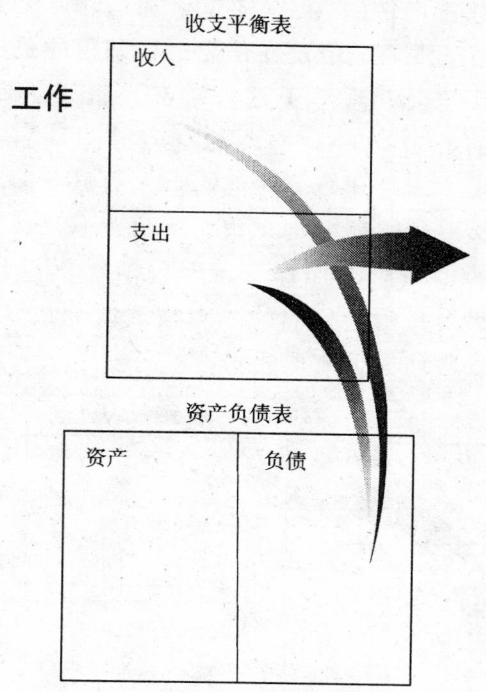

这种现金流形式被我们的社会认为是“正常的”和“明智的”。毕竟，有这种形式现金流的人很可能有高薪工作、漂亮房子、汽车和信用卡，我的富爸爸称之为“工薪阶层的梦想”。

当我和一些成年人玩我的纸板教学游戏——《现金流》时，感到时间不够用。为什么呢？因为他们被引到财务知识上去，这意味着要花时间理解金钱的数字和语言。这个游戏需要花几个小时进行，不是因为这个游戏很长，而是因为参与者正在学习一个全新的科目，这几乎就像在学一门外语。所幸的是，这种新知识能够很快被掌握，到那时游戏将会进行得快起来。游戏速度的加快是因为参与者变得更聪明了……而且他们玩这个游戏的次数越多，他们在投资方面就变得越聪明和越敏捷，而且玩游戏的整个过程都充满了乐趣。

另外还会发生一些事情。由于他们现在有了财务知识，很多人开始认识到他们个人正处在财务困境中，虽然社会上的其他人认为他们是“财务正常的”。你知道，拥有中产阶级形式的现金流在工业时代是正常的，但是在信息时代却可能是灾难性的。

很多人一旦学会并理解了这个游戏，就开始寻找新的答案。就像一次温和的心脏病对一个人的身体健康而言是一个警告一样，人们被唤醒了，并开始关注他们个人的财务健康。

在领悟了这一切的那一刻，很多人开始像一个有钱人而不是一个努力工作的中产阶级那样思考问题。在玩过几次《现金流》游戏之后，一些人开始把他们的思考模式改变成富人的模式，并且开始寻找下面这种现金流形式：

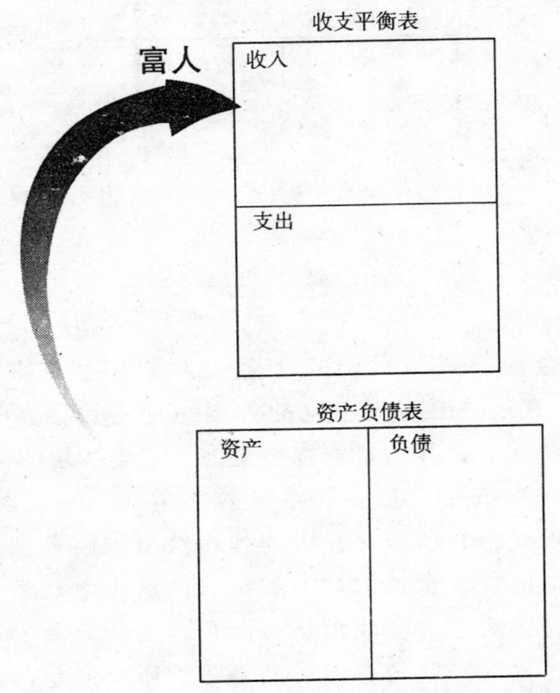

这是我的富爸爸在我们小时候努力培养并使他的儿子和我持有的思考方式，因此他拿走我们的工资并拒绝给我们加薪，他从不让我们沾染上寻找高薪工作的习惯。他让我们形成的是只考虑到资产和资本利得、股息、租金、企业剩余收入和专利权使用费这些形式的收入的财务思维方式。

对于那些想在信息时代获得成功的人来说，他们越早地开始开发他们的财商和情商，越早使用这种方式思考问题，他们就能越早地感觉到更多的财务安全并寻找到财务自由。在一个有越来越少的工作保障的世界里，这种现金流形式对他们而言有着更大的意义。要想获得这种形式的现金流，一个人需要从“B”和“I”象限而不是“E”和“S”象限的角度观察世界。

我也把它称做是信息时代的财务报表，因为收入是严格地从信息中产生，而不单纯从努力工作中产生。在信息时代，努力工作的思想已不再具有它在农业时代和工业时代所具有的那种相同的意义，在信息时代，体力工作最努力的人将被支付得最少。今天，这已经成为现实并且在整个历史中它都将是现实。

而今，当人们说，“不要光努力工作，还要聪明地工作”时，他们不是指在“E”或“S”象限中聪明地工作，他们真正指的是在“B”或“I”象限中聪明地工作。这是信息时代的思想，因此财商和情商在今天和未来都是至关重要的。

那么，答案是什么？

很明显，我的答案是重新教育你自己，使你能像富人而不是穷人或中产阶级那样思考。也就是说，从“B”或“I”象限思考和观察这个世界。但是，解决办法不像回到学校再上几门课那样简单。要想在“B”或“I”象限中成功，需要有财商、系统知识和情商，遗憾的是目前这些知识的大部分在学校里尚无法学到。

这些方面的知识很难学习是因为大多数成年人具有“努力工作然后消费”的生活模式。他们感到财务焦虑，因此他们匆忙地跑去工作，努力地工作。他们回到家里，听着有关股市上下波动的消息，于是焦虑更增加了。于是他们去购买新房子，或者新汽车，或者去打高尔夫球以躲避焦虑。

问题是在星期一早上，焦虑又回来了。

你如何开始像富人一样思考？

人们经常问我，如何开始像富人一样思考。我总是建议他们从小处着手，并不断增加知识，而不是到处乱跑，去购买共同基金或盲目购买供出租的财产。如果对于学习和重新培养自己，使自己能像富人一样思考问题的态度是严肃的，那么我推荐我的纸板游戏——《现金流》。

我发明这个游戏的目的是帮助人们提高他们的财商，这个游戏为人们提供了智力、体力和情感的训练，而这些训练对于使人们从穷人或中产阶级的思考模式渐渐地变为像富人一样思考而言是十分必要的。它教育人们认识到我的富爸爸曾经对我说的话是重要的……而不是仅仅考虑一张大额工资单或者一所大房子的问题。

是现金流，而不是货币消除焦虑

财务窘困和贫穷是真正令人焦虑的财务问题，这些问题约束了人们的智力和情感，使人们困在我所说的“老鼠赛跑”中。除非这种智力和情感束缚被打破，否则这种模式将不会改变。

几个月前，我和一位银行家一同设法打破他的财务窘困。我不是一个治疗专家，但是我曾经打破根植在我家族中的财务习惯。

这个银行家一年挣 12 万美元，但是却总是处在某种财务困境中。他有一个幸福的家庭，三辆汽车，一所大房子，一所别墅，并且他看起来是一位有前途的银行家。但是，当我审察他的财务报表时，我发现他患了财务顽疾，如果他不改变他现有的财务生活方式的话，几年后他将无可救药。

他和他妻子第一次参加玩《现金流》游戏时，他苦苦挣扎，有着几乎不可控制的烦躁不安。他的思维四处游荡，看起来根本不能掌握这个游戏。4 个小时后，他仍然陷在困境中。别人都完成了游戏，而他还处在“老鼠赛跑”中。

因此，当我们结束游戏时，我问他感觉怎么样。他惟一的回答是，这个游戏太难、太慢、太枯燥。这时我提醒他我在游戏开始时告诉他的话：所有的游戏都是对玩这个游戏的人的反应的一种测试，也就是说，游戏像一面镜子，让你看到你自己。

这句话激怒了他，因此我退了一步，问他是否还想使他的财务生活得到改善，他说他仍然想。于是我邀请他和他妻子（他妻子喜欢这个游戏）同一个投资小组一起再玩一次这个游戏，这次由我做指导。

一星期后，他表现得好起来。这时，他有了一些灵感。对于他，会计部分很容易，因此他把数字处理得整齐而有条理，这对于该游戏是非常宝贵的。在做好这些工作后，他开始了解企业和投资领域。他最终开始用他的大脑“看见”他自己的生活类型并认识到正是他正在做的事情引起了他自己的财务困境。4个小时后，他仍然没有完成游戏，但是他已经开始学习了。当游戏结束时，他要求再玩一次。

到第三次时，他变成了一个全新的人。现在他控制着游戏、他的财务状况和他的投资。他的信心迅速增加，这次他成功地跳出了“老鼠赛跑”，进入到“快车道”中。游戏结束时，他买了一套游戏玩具并说：“我要教给我的孩子们。”

到第四次玩时，他告诉我他的个人支出下降了，他改变了他的花钱习惯，并取消了几张信用卡。现在，他有很大的兴趣学习投资和建立他的资产项目，他的思维已经开始使他成为一个信息时代的思考者了。

玩第5次时，他购买了《现金流202》。《现金流202》是为那些已经掌握了《现金流》初级版的人准备的高级游戏。他现在准备并渴望参与真正的B和I进行的快速而有风险的游戏，最可喜的是他已经控制了他的财务未来。这个人已经完全不同于那个在第一次玩这个游戏时，要求我把游戏设计得更容易些的人。当时，我告诉他，如果他想玩更容易的游戏，他应该玩“大富翁”而不是《现金流》，“大富翁”也是个很好的教学游戏。仅仅几个星期，他不再要求事情变得更容易些，而是积极地寻求更大的挑战，并且他对他的财务未来充满了乐观的态度。

通过反复地玩这个玩游，他不仅在思想上而且更为重要的是在情感上受到了很多的教育。我认为，游戏是一种高级教学工具，因为它要求参与者完全进入到学习过程中，并在这个过程中获得乐趣。参与游戏是在智力、情感和体力上的投入，是全身心地学习。

进入财务快行道的 7 个步骤

第十一章

第1步：考虑你自己的事业的时候到了

你一直在努力工作并使别人变得富有吗？大多数人年轻时都会到别人的企业工作，并使他人变富。但按照这样的建议开始生活是很无知的：

1. “上学，得高分，这样你就能找一份稳定安全的工作，有很高的薪水和很好的福利。”
2. “努力工作你才能买到你梦想的房子。毕竟，你的住房是一项资产，而且房子应是你最重要的投资。”
3. “拥有大额抵押贷款是很好的做法，因为政府为你的利息支付提供税收减免。”
4. “现在购买，以后支付”，或者“低首期付款，轻松每月支付”，或者“有钱就进行储蓄”。

盲目听从这些建议的人通常会成为：

1. 雇员——使他们的老板和公司的主人变富。
2. 债务人——使银行和债权人变富。
3. 纳税人——使政府变富。
4. 消费者——使很多其他企业变富。

他们没有找到他们自己的财务快车道，相反，却帮助其他人进入到快车道。他们工作一生，不是为他们自己的事业忙碌，而是为其他人的企业辛劳。

通过观察收益表和资产负债表，你能很容易地发现，我们在早期已被网入其他人的事业，而忽略了我们自己的事业。

收支平衡表

收入
1. 关注你老板的事业。
支出
2. 你通过向政府交税而关注政府的事业。通过消费，你关注其他人的事业。

资产负债表

资产	负债
4. 这是你自己的事业。	3. 你关注你的银行的事业。

采取行动

在我的课堂上，我经常让人们填写他们自己的财务报表，对于很多人来说，他们的财务报表实在不是一幅美丽的图画，而这种情况的产生多数时候正是因为他们被误导去为其他人的企业忙碌，而没有关注他们自己的事业。

1. 第一步：

填制个人财务报表。我已列出了在《现金流》游戏中所要列出的收益表和资产负债表的样表。

为了到达你想要去的地方，你需要知道你现在在什么地方。这将是你控制你的生活，花更多的时间关注你自己的事业的第一步。

2. 设定财务目标：

为你想在5年内到达的地方设定一个长期财务目标，并为你想在12个月内到达的地方设定一个较小的短期财务目标。（短期财务目标是通向你的5年目标路途中的进身之阶。）设定现实的、可实现的目标。

（1）在未来的12个月内：

①我想减少我的债务________美元。

②我想增加我资产的现金流或者增加被动收入（被动收入是你不用工作即可挣得的收入，即投资收入）________美元/月。

（2）我的5年目标是：

①增加我资产的现金流到________美元/月。

②在我的资产项目中拥有下列投资（如，不动产、股票、企业，等等）________________________

（3）用你的5年目标改变你从今天起的5年内的收益表和资产负债表。

现在由于你清楚地知道你自己的财务状况，并且设定了你的目标，所以你需要控制你的现金流，以便实现你的目标。

职　业 ____________　**玩家姓名** ____________

目标：跳出“老鼠赛跑”圈，进入快行道；创造被动收入使之多于总支出。

收支平衡表

收　入	
项　目	现金流
工资：	
利息：	
分红：	
不动产：	
公司：	

支　出
税：
房屋分期付款：
教育贷款：
汽车分期付款：
信用卡付款：
零售付款：
其他支出：
孩子费用：
银行贷款：

审计员 ____________

在你右侧的人

被动收入＝ ____________

（来自于利息＋分红＋不动产＋公司的现金流）

总收入：____________

孩子数量：____________

（开始游戏时没有孩子）

每个孩子的费用支出：____________

总支出：____________

每月现金流：____________

资产负债表

（实际收入

资　产	负　债
储蓄：	房屋分期付款：
股票/共同基金/银行存单：	教育贷款：
股票数：	汽车分期付款：
每股成本：	信用卡：
不动产：	零售债务：
首期：　首期：　成本：	不动产分期付款：
公司：　首期：　成本：	负债（公司）
	银行贷款：

第十二章

第 2 步：控制你的现金流

很多人认为，仅靠挣更多的钱就能解决他们的财务问题，但是，在大多数情况下，这种做法只能引起更大的财务问题。

大多数人有金钱问题的主要原因是他们从来没有接受过管理现金流的学校教育。他们学会读、写、开车和游泳，但是却从未被教过如何管理他们的现金流。由于没有受过这方面的培训和教育，于是当他们最终遇到了个人财务问题时，他们只是更加努力地工作，相信更多的钱会解决这些问题。

正如我的富爸爸经常说的："如果现金流管理是真正的问题所在，那么再多的钱也不会解决问题。"

最重要的技能

在决定关注你自己的事业之后，作为你自己的事业的首席执行官，下一步就是要控制你的现金流。如果你不这样做，那么，挣再多的钱也不会使你变得更富有。事实上，更多的钱使大多数人变得更穷，因为每当他们获得提薪后，都会出去购物并陷入更深的债务之中。

谁更聪明——你还是你的银行家?

大部分人没有准备个人财务报表的习惯。至多,他们尽力平衡每月的收支。因此,要祝贺你自己,你现在已经领先你的大多数同事了,因为你已完成了你的财务报表并为你自己设定了目标。

作为你自己事业的首席执行官,你要学会比大多数人更聪明。

大多数人会说,“两本账”是非法的,但在某些情况下,这是正确的。并且,在现实中,如果你想真正了解财务世界,就必须有两本账。一旦你认识到这一点,你将变得和你的银行家一样聪明,甚至可能比他们更聪明。下面是一个合法的“两本账”的例子——“两本账”指的是你的和你的银行家的账本。

作为你自己事业的首席执行官,你应该始终记住我的富爸爸经常说的那些简单的话和绘出的图示,“你拥有的每一项负债正是其他人的资产。”

并且他会画出下面这个简单的图示:

你的资产负债表

资产	负债
	分期付款

你的银行的平衡表:

银行的资产负债表

资产	负债
你的分期付款	

作为你自己事业的首席执行官，你必须始终记住，你的每一项负债或者债务，都是其他某个人的资产。这是真实的“两本帐会计”。对于每一项负债，如抵押贷款，汽车贷款，学校贷款和信用卡，你都是债权人的雇工，你的努力工作正在使他们变得更富有。

好债务和坏债务

富爸爸经常警告我小心“好债务”和“坏债务”。他经常说，每当你欠了某个人的钱时，你就成为了他的雇工。如果你借了一笔 30 年的贷款，那么你就得做 30 年的雇工，并且在债务结束时，他们不会给你一块纪念金表。”

富爸爸也借钱，但是他尽最大的努力不成为偿还贷款的那个人。他常对他的儿子和我说，好债务就是由别人替你支付债务，坏债务就是你用你自己的血汗钱支付债务。因此他喜欢可供租用的资产，他也鼓励我去购买供出租的资产，因为“银行给你贷款，但是你的房客会替你偿还。”

收入与支出

两本账不仅适用于资产的和负债，而且也适用于收入和支出。我的富爸爸给我上的词汇课是这样的：“对于多数资产来说，一定存在一项负债，但是它们不在同一财务报表中出现；对于每一项支出，也都必然有收入存在，但是它们也不出现在同一财务报表中。”

下面的简单图示会使这段话更清晰：

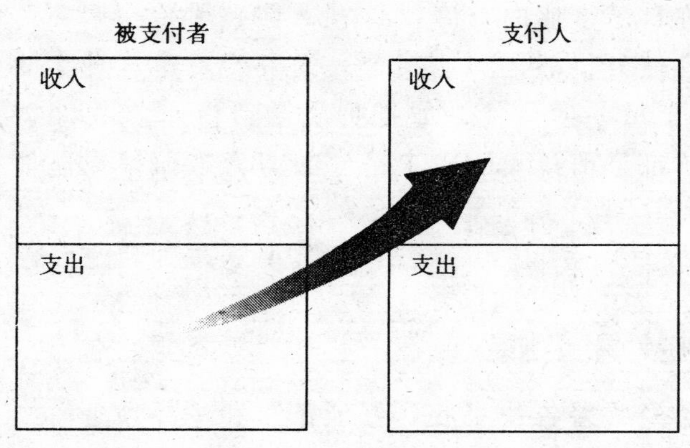

大多数人在财务方面不能走在前面，因为他们每个月都有账单要付。这其中有电话单、税单、电费单、煤气单、信用卡账单、食物账单等等。每个月，大多数人都要先支付其他人，最后，如果他们还有钱被剩下来的话，再支付给他们自己。因此大多数人都违反了个人财务的黄金规则，即：首先支付你自己。

这就是富爸爸强调现金流管理和基本财务知识的重要性的原因。富爸爸经常会说："不能控制现金流的人为能够控制其现金流的人工作。"

快速的财务途径和激烈的竞争

"两本账"的概念能被用来解释"财务快车道"和"老鼠赛跑"的概念。有很多不同类型的财务快车道，下图是最常见的一种，存在于债权人和债务人之间。

这张图已经被大大简化了，但是，如果你花时间研究它，你的大脑会看见大多数人用眼睛所不能看见的东西。研究这张图你将看见富人和穷人，所有者和无产者，债权人和债务人以及创造工作者和寻找工作者之间的关系。

这就是快速的财务途径，你已经在路上了

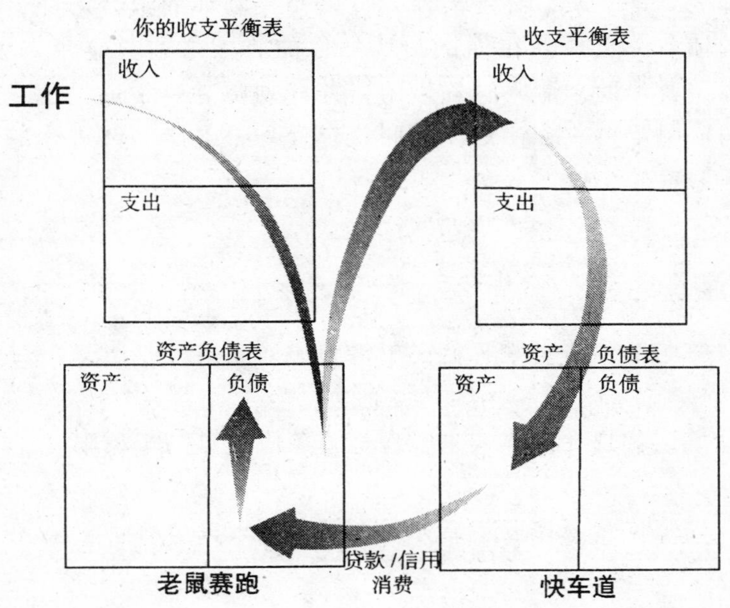

在这种情况下，债权人会说，“由于你的良好信誉，我们愿意为你提供账单合并贷款”或者“你愿意开一个信用账户，以防你在未来需要一些额外的钱时用它吗?”

你知道这个区别吗?

两本账之间的货币流动路径就是我的富爸爸所说的“财务快车道”，也是“财务生活中的老鼠赛跑”。一者存在，则另一者必然存在。因此，我们至少拥有两个财务报表。问题是，哪一个报表是你的？哪一个报表是你想要拥有的呢?

我的富爸爸经常告诉我，“如果现金流管理是问题所在，那么挣再多的钱也不能解决问题”，以及“了解财务数字力量的人

能够控制那些不了解这种力量的人。”

因此，寻找你自己的财务快车道的第二步是“控制你的现金流”。

你需要坐下来，制定出计划，以便控制你的消费习惯，最小化你的债务和负债。在你试图增加你的收入之前，应量入为出。如果你需要帮助，请向有资格的财务计划师寻找帮助。他或她能够帮助你制定出一个计划，按照这个计划，你能够改进你的现金流并开始首先支付你自己。

采取行动

1. 复习上一章要求你做的财务报表。

2. 确定你现在的收入来自现金流象限的哪一个象限。

3. 确定你希望在五年后你的大部分收入来自哪个象限。

4. 开始你的现金流管理计划：

(1) 首先支付你自己。

从你的每份工资或其他来源的每份收入中拿出一个固定份额，把这笔钱存在投资储蓄账户中。一旦你的钱被存入这个帐户，就永远不要取出它，直到你准备用它投资时为止。

祝贺你！你已经开始管理你的现金流了。

(2) 集中精力减少你的个人债务

下面是一些简单而且能够用于减少和消除你的个人债务的提示。

提示 1：如果你有多个信用卡则

①取消你所有的信用卡，只留下 1 到 2 个。

②你对现在拥有的这一到两张信用卡中的任何新负债都必须在每月底消除。不要再借入任何长期债务。

提示2：每月多挣150～200美元。因为你现在已经变得越来越有财务知识，因此应该比较容易做到。如果你不能每月创造出额外的150～200美元收入，那么实现财务自由可能只是一个幻想。

提示3：用这额外的150～200美元对你的信用卡中的一张进行每月支付。现在你的支付额是你的最小支出加上这张信用卡上的150～200美元。

对所有其他到期信用卡只付最小额。通常人们对他们所有的信用卡每月都尽力多支付一些，但是令人奇怪的是，这些卡永远都还不清。

提示4：一旦第一张信用卡被还清了，就用原来偿还这张信用卡的钱去偿还你的另一张卡。现在你的支付额是第二张信用卡的最小到期额加上你以前每月支付给第一张信用卡的全部金额。

继续这个过程去还清你的所有信用卡和其他消费信贷，你每付清一笔债务时，就把原来用来支付这笔债务的全部金额用于你的下一笔债务的偿还上。你会发现，当你还清这笔债务后，你正在支付的下一笔债务的月清偿金额将会增加。

提示5：一旦你的所有信用卡和其他消费贷款都被还清，那么请继续对你的汽车和住房支付实施这个过程。如果你遵循这个过程，你将惊奇地发现，你用更短的时间清偿了你所有的债务。大多数人能在5～7年内还清全部债务。

提示 6：你现在没有任何债务了，因此把用于支付你的最后一笔债务的月金额用于投资建立你的资产项目。

看，就是如此简单。

第十三章

第3步：了解风险和有风险之间的区别

我经常听人们说："投资有风险。"

我不同意。相反我说："无知才有风险。"

什么是正确的现金流管理？

正确的现金流管理基于对资产和负债的区别的认识，而不是你的银行家提供给你的定义。

下面的图显示出一位年龄为45岁的人是怎样正确管理他或她的现金流的。

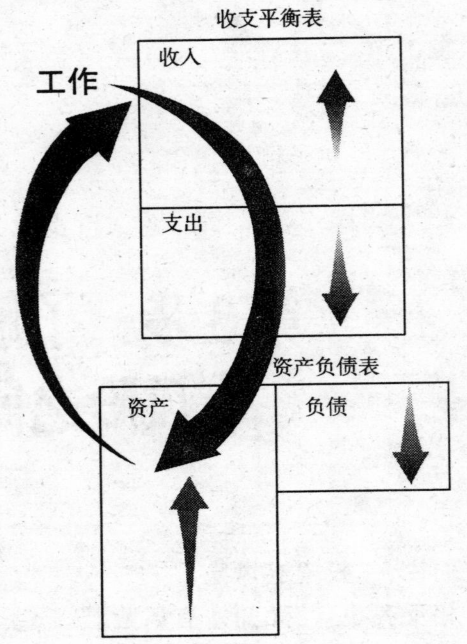

我用45岁，是因为这个年龄正处于25岁（大部分人开始工作的年龄）到65岁（大部分人计划退休的年龄）之间。到45岁时，如果他们已经正确地管理了他们的现金流，那么他们的资产项目将会比他们的负债项目多。

这是承担风险、但是没有风险的人的财务状况。

他们也是人口总数中的前10%。但是如果他们像人口中的另外90%那样，对他们的现金流管理不善，不知道资产和负债之间的区别，那么，在45岁时，他们的财务状况将是这样的：

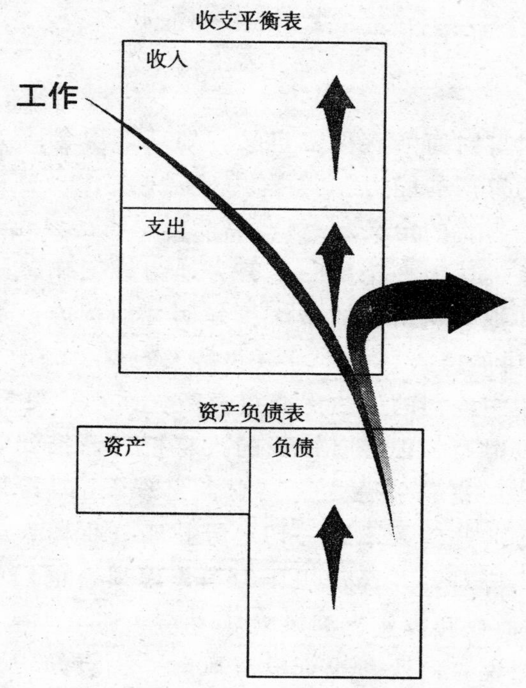

这些人常说："投资有风险。"对于他们来说，这句话是正确的。但是不是因为投资有风险，而是缺少正规的财务培训和财务知识带给他们风险。

财务知识

在《富爸爸，穷爸爸》一书中，我讲述了我的富爸爸如何使我具备财务知识。

财务知识不仅使你能够用你的眼睛观察数字，而且使你用经过训练的大脑观察现金流动路径。富爸爸经常说："现金流的方向就是一切。"

因此，一所住房究竟是资产还是负债要依赖于现金流的方向。如果现金流进你的口袋，那么它就是资产；如果现金流出你的口袋，那么它就是负债。

财商

富爸爸对“财商”有很多定义，如“把现金或劳动转化为能带来现金流的资产的能力”。

但是他最喜欢的定义之一是：“谁更聪明？你还是你的钱？”

我的富爸爸认为，花费一生努力地为钱工作，只是为了在得到钱时，立即把它花出去的做法不是明智的标志。你可以回顾一下第10章中讲的穷人、中产阶级和富人的现金流形式，你可能还记得，富人集中他们的努力于获得资产，而不是更努力地工作。

由于缺少财商，很多有知识的人将把自己推到高财务风险的位置上去。我的富爸爸称之为“财务红线”，即指每月的收入和支出几乎相等。这些人不顾一切地寻找工作保障，当经济变动时他们不能做出应对，并经常用压力和焦虑损害他们的健康。这些人经常说：“商业和投资充满风险。”

我还是要说：商业和投资没有风险，没有知识才有风险。同样，被误导是有风险的，依赖于“稳定安全的工作”将是这类人要冒的最大的风险；购买资产没有风险，购买你被告知是资产的负债有风险；考虑你自己的事业没有风险，考虑其他人的事业并首先支付他们就会有风险。

因此，第3步就是要知道风险和有风险之间的区别。

采取行动

1. 用你的话定义风险。

①依赖工资对你有风险吗？

②每月支付的债务对你有风险吗？

③拥有每月产生现金流并使之流入你的口袋中的资产对你有风险吗？

④花时间学习财务知识对你有风险吗？

⑤花时间学习不同类型的投资对你有风险吗？

2. 每周花5个小时的时间做下列事情中的一件或者更多件：

①读报纸上的商业版和《华尔街日报》。

②听电视或广播中的金融新闻。

③听关于投资和财务知识的教学磁带。

④读金融杂志和通讯。

⑤玩《现金流》游戏。

第十四章

第 4 步：决定你想成为哪种类型的投资者

你曾经想过为什么一些投资者能挣到很多的钱但风险却很小吗？

大多数人在财务困境中挣扎是因为他们回避财务问题。我的富爸爸告诉我的最大秘诀之一是："如果你想迅速获得巨大的财富，就要敢于承担巨大的财务问题。"

在本书的第一部分，我讨论了投资者的 7 个等级。我想采用另一种分类方法，将投资者分为三种类型：

类型 A：寻找问题的投资者

类型 B：寻找答案的投资者

类型 C：舒尔茨型的投资者："我什么都不知道。"

C 型投资者

舒尔茨这个名字出自电视系列剧《霍根的英雄》中那个可爱的人物。在剧中，舒尔茨是德国战俘营的一名警卫，他知道战俘们正在试图逃跑并且蓄意破坏德国的战斗力。

当他知道事情有些不对劲儿时，舒尔茨所说的全部话就是："我什么都不知道。"大多数人对于投资问题持有相同的态度。

舒尔茨型投资者能够获得巨大的财富吗？答案是肯定的，如果他们能得到一份联邦政府的工作，与某个有钱人结婚，或者中彩票的话。

B 型投资者

B 型投资者通常问这样一些问题：

“你建议我进行哪种投资？”

“你认为我应该买不动产吗？”

“哪种共同基金更适合我？”

“我与我的经纪人谈过了，他建议我要多样化。”

“我的父母给了我一些股票，我应该卖了它们吗？”

B 型投资者会立即约见几位金融设计师，选择一种投资并开始接受他们的建议。如果金融设计师很优秀的话，他们将能够提供非常好的技术支持并且通常能够帮助你建立起你一生的财务活动计划。

在我的书中，我没有提供具体的金融建议，因为每个人的财务状况是不同的。金融设计师能够最好地评估出你现在所处的位置，并告诉你如何成为第 4 级投资者。

有趣的是，我经常发现许多高收入的“E”和“S”落进 B 类投资者当中，因为他们几乎没有时间寻找投资机会。由于他们非常繁忙，没有时间学习象限右侧的知识，因此，他们寻找答案而不是知识。这组人经常购买 A 类型的投资者所说的“零售投资”，这种投资被捆在一起以低价卖给大众。

A 型投资者

A 型投资者寻找问题，他们尤其要寻找那些处于财务困境中的人们所引起的问题。善于解决问题的投资者期望他们的货币能带来 25% 到无穷大的回报，他们是典型的第 5 级和第 6 级投资者，有雄厚的金融基础。他们拥有做一个成功的企业主和投资者的必要的技能，并且他们用这些技能解决没有这些技能的人所引起的问题。

例如，我第一次开始投资时，我所寻找的都是没有抵押赎回权的小型楼房和住宅。我用 1.8 万美元解决了那些没有管理好他们的现金流并用光了钱的投资者所引起的问题。

几年以后，我仍然在寻找问题，但是这次数额更大了。又过了三年，我获得了一家价值 3 千万美元的秘鲁采矿公司，虽然问题和数字变大了，但是过程是相同的。

如何更快地进入快车道

我的建议是，小规模地开始并学会解决问题。当你变得更善于解决问题时，你将最终获得巨大的财富。

对于那些想更快地获得资产的人，我再次强调首先学会“B”和“I”象限中的技能的必要。我建议先学会如何建立一家企业，因为企业提供了至关重要的教育过程，改善了个人技能，并提供了能够弱化市场波动的现金流，以及自由支配的时间。正是来自我的企业的现金流给我带来了自由时间，使我能够开始寻找有待解决的金融问题或者说是金融机会。

你能成为所有这三种类型的投资者吗？

事实上，我是作为这三种类型的投资者进行操作的。对于共同基金或者选择股票，我是舒尔茨，即 C 型投资者。当人们问我“你推荐哪种共同基金”或者“你要买哪只股票”时，我变成了舒尔茨，并回答说，“我什么都不知道”。

我的确有几种共同基金投资，但是事实上没有花太多的时间去研究它们。我能够用我的公寓住宅取得比用共同基金取得的更好的结果。作为 B 型投资者，我寻求解决我的金融问题的专业答案，我向金融设计师、股票经纪人、银行家和不动产经纪人寻求答案。如果这些专业人员有能力，他们就能够为我提供丰富的信息，而这些是我个人没有时间获得的。况且他们是如此接近于市场，并且我相信，他们最能紧紧追随法律和市场的变化。

我的金融设计师给我的建议是无价的，就是因为她对信托、遗产和保险的理解远胜于我。每个人都应该有一个计划，这也是金融设计师这一职业存在的原因。有比简单买卖更重要的东西需要我们投资。

我还把我的钱交给别的投资者，请他们替我投资。也就是说，我认识其他的在寻找投资合伙人的第 5 和第 6 级投资者。他们是我个人认识并信任的人。如果他们选择投资于某一个我不了解的领域，如低收入住宅或者大型写字楼，我就把我的钱交给他们，因为我知道他们擅长他们所做的事情并且我相信他们的知识。

为什么你应该迅速开始？

我建议人们迅速地找到他们的财务快车道并认真对待挣钱这件事的主要原因之一是，在美国以及在世界大部分地区，存在两套规则，一套是为富人设定的，一套是为其他人设定的。很多法律是针对那些陷入“老鼠赛跑”中的人制定的。在商业和投资领域——一个我最熟悉的领域，我发现中产阶级几乎不知道他们的税收被用于何处，这是多么令人震惊的事情。虽然税收正被用在很多有价值的事情上，但是许多较大的税收减免、奖金和支付正在有利于富人，而中产阶级却在为此付款。

例如，在美国，低收入住宅是一个很大的问题，当然也是一个棘手的政治问题。为了解决这个问题，各城市、州和联邦政府提供了大量的税收信贷、税收减免和补贴租金给那些提供融资低收入住宅和修建低收入住宅的人们。只要懂得法律，融资者和建筑商就可以通过让纳税人从低收入住房投资中获得补贴的方式变得更富有。

为什么会不公平?

因此，现金流象限左侧的大部分人不仅要支付更多的个人所得税，而且他们通常不能参与有税收好处的投资。这也许是“富者更富”这种说法的一个原由吧。

我知道这不公平，并且我了解这件事的两个方面。我遇到过一些人，他们抗议并写信给报纸编辑，一些人试图通过参加政府竞选改变这个系统。但我认为，关注你自己的事业，控制你的现金流，找到你自己的财务快车道，并实现富裕是更为容易的做法。记住，改变自己比改变政治系统更为容易。

问题导致机会

多年前，我的富爸爸鼓励我学习成为企业主和投资者所需要的技能。他还说：“参与实践并解决问题。”

这些年来，我所做的事情就是解决企业和投资问题。一些人更喜欢称之为挑战，然而我喜欢称之为问题，因为大多数情况下这才是它的真正含义。

我认为，人们喜欢用“挑战”这个词甚于“问题”这个词，是因为他们认为一个词比另一个词更为积极。然而，对于我，“问题”这个词有非常积极的含义，因为我知道在每个问题中都存在着“机会”，而机会是真正的投资者所追求的东西。我追寻每一个金融或商业问题，而不考虑我是否能解决这个问题，最终我总能学到一些东西，包括一些关于金融、营销、人员或者法律方面的新知识。我通常会在追寻和解决问题的过程中主动去认识一些新朋友，在一些项目上他们是无价的资产。他们中的很多人成为我终生的朋友，这是一份非常昂贵的奖金。

找到你的快车道

因此，对于那些想找到自己的财务快车道的人而言，请开始：

1. 关注你自己的事业。
2. 控制你的现金流。
3. 了解风险和有风险之间的区别。
4. 了解 A、B、C 三种类型投资者之间的区别，并选择同时做这三种类型的投资者。

要想到快车道上去，就要成为一名擅于解决某类问题的专家。不要“多样化”，就像纯 B 型的投资者被建议做的那样。成为解决一种类型问题的专家，人们就会带着钱来，让你去投资。如果你是能干且值得信任的，你将很快地进入你的财务快车道。这里有一些例子：

比尔·盖茨是一名解决软件市场问题的专家，他是如此的善于此道，以致联邦政府都追着他跑。唐纳德·托姆普是解决不动产问题的专家。沃伦·巴菲特是解决企业和股市问题的专家，反过来企业和股市就让他购买有价值的股票和管理一个成功的资产组合。乔治·索罗斯是解决市场动荡问题的专家，这使他成为优秀的对冲基金经理。鲁帕特·莫多克是解决环球电视网络的商业问题的专家。

我妻子和我非常擅于解决最终将用被动收入清偿的公寓住房问题。我们对中小规模公寓住房市场以外的领域几乎一无所知，而且我们不采用多样化原则。如果我选择在这些领域以外的领域中投资，那么我只做一名 B 类型的投资者，这意味着我要把我的钱交给那些在他们的专业领域中有着良好记录的人。

我的中心目标是“关注我自己的事业”。虽然我妻子和我确实为慈善机构工作，并且帮助他人获得成功，但是我们从来没有忘记过关注我们自己的事业和不断地增加我们自己的资产项目的重要性。

因此，要想更快实现富裕，就要学习作为企业主和投资者所需要的技能，寻找并解决更大的问题，因为在大的问题当中存在着巨大的金融机会。因此，我建议先成为“B”，再成为“I”。如果你是解决企业问题的大师，那么你将获得额外的现金流，而你的企业知识也会使你成为一名聪明的投资者。我在前面已经提到过多次，但仍然值得再说一次：很多人进入“I”象限是希望投资能解决他们的财务问题，大多数情况下，这不可能。如果他们还不是成功的企业主，那么投资只会使他们的财务问题更糟糕。

世界上决不缺少隐含着巨大机会的财务问题，事实上，有一个问题正在你的前方，等待着被解决。

采取行动

获得投资知识：

我建议，你在成为第 5 或第 6 级投资者之前，成为一名老练的第 4 级投资者。小规模地开始并继续你的教育。

每星期做下列事情中的至少两件：

1. 参加财务研讨班和学习班。（我把我的很多成功归因于我年轻时上的一门不动产课程，这门课我花了 385 美元。因为我采取了行动，经过多年，这门课为我挣得了几百万美元。）

2. 在你的地区寻找待售不动产。每星期拜访三到四家，并让销售人员告诉你有关这项资产的情况。问这样一些问题：这是一项资产投资吗？或者是：它出租吗？现在的租金是多少？空房率是多少？该地区的平均租金是多少？维修成本是多少？有定期维修吗？房主会融资吗？能获得什么类型的融资条件？

练习计算每项资产的月现金流量情况，然后让资产代理人检查一遍，看看你忘记了哪些内容。每项财产都是一个独特的商业系统，并应该被看成是个人的商业系统。

3. 会见几位股票经纪人，并倾听他们推荐的可以购买的公司股票，然后在图书馆或者互联网上调查这些公司，给这些公司打电话，索要他们的年度报告。
4. 订阅投资通讯，并加以研究。
5. 继续阅读，听磁带和看录像带，看电视金融节目，玩《现金流》游戏。

获得企业知识：

1. 会见一些企业经纪人，了解你的地区有哪些现存企业正在出售。仅通过问问题和倾听就可以学会那些术语。
2. 参加直销研讨班，学习它的企业系统知识。（我建议研究至少三家不同的直销公司。）
3. 参加当地的商业年会和贸易博览会，查明能加入哪些特许经营系统或企业系统。
4. 订阅商业报纸和杂志。

第十五章

第5步：寻找导师

谁引导你去你以前从未去过的地方?

导师是告诉你什么重要、什么不重要的人。

导师告诉我们什么是重要的

下面是我的纸板教育游戏——《现金流》中的评分表，这个评分表就像一位导师，因为它训练人们像我的富爸爸那样思考问题，并指明人们的想法在财务方面的重要性。

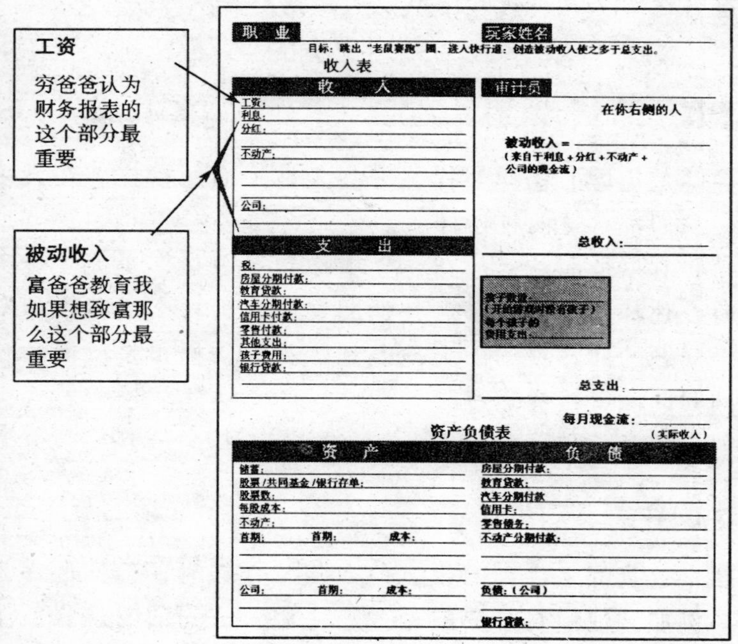

我的有学问但贫穷的爸爸认为，拥有高薪工作是很重要的，购买你梦想的房屋是重要的，他还相信先支付账单和量入为出的说法。

我的富爸爸告诉我集中精力于被动收入，并花时间获得能给我带来被动收入或长期剩余收入的资产。他不相信量入为出的说法，他经常对他儿子和我说，“不要量入为出，要集中精力扩张你的财力。”

为了做到这一点，他建议我集中精力建立资产项目，增加来自资本利得和股息的被动收入，增加来自企业的剩余收入以及来自不动产的租金收入和专利权使用费。

两位爸爸都是我成长过程中的导师，虽然我选择了听从富爸爸的财务建议，但是这并没有削弱我的有学问但贫穷的爸爸对我的影响。没有这两个人对我的深刻影响，我不会成为今天的我。

反面的榜样

正如导师是优秀的榜样一样，有些人是反面的榜样。在大多数情况下，我们都有这两种榜样。

例如，我有一位朋友，他在一生中挣到了8亿多美元。今天当我写书时，他却已经破产了。其他朋友问我为什么继续跟他交往，对这个问题的回答是，因为他既是优秀的榜样也是反面的榜样，我能同时向两个榜样学习。

精神上的榜样

我的两个爸爸都是高尚的人，但当谈及金钱时，他们的观点完全不同。例如，他们对“爱财是万恶之源”这句话的解释就不同。

我的有学问但是贫穷的爸爸认为任何想得到更多的钱或者改变自己的财务状况的愿望都是错误的。

相反，我的富爸爸对这句话的解释完全不同，他认为诱惑、贪婪和在财务上的无知才是错误的。

换句话说，富爸爸不认为金钱本身是罪恶的。但他的确认为终其一生像奴隶一样为钱工作是罪恶的，成为个人债务的金钱奴隶也是罪恶的。

我的富爸爸经常把宗教戒律转换到财务训导中，现在我愿意与你共同分享其中的一条。

诱惑的力量

富爸爸认为，那些努力工作、长期负债并量入为出的人，对于他们的孩子来说，是糟糕的示范。在富爸爸眼里，他们不仅是糟糕的示范，而且他认为处在债务中的人经不起诱惑而且贪婪。

他经常会画这样的图示并且指着负债项说："不要把我们领入诱惑中。"

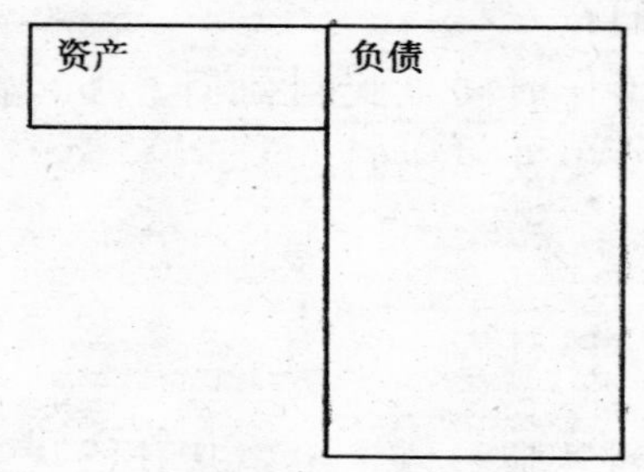

富爸爸认为，很多财务问题来自于占有没有什么价值的东西的欲望。在信用卡产生的时代，他预见将有很多人陷入债务负担中，并且债务最终将控制他们的生活。我们看到人们因房子、家具、衣服、度假和汽车而陷入巨额的个人债务中，其原因是他们缺少对人类情感——"诱惑"的控制。今天，人们越来越努力地工作，购买他们认为是资产的东西，但是他们的花钱习惯永远不会让他们获得真正的资产。

这时，他会指着下图的资产项目说：

"让我们远离罪恶。"

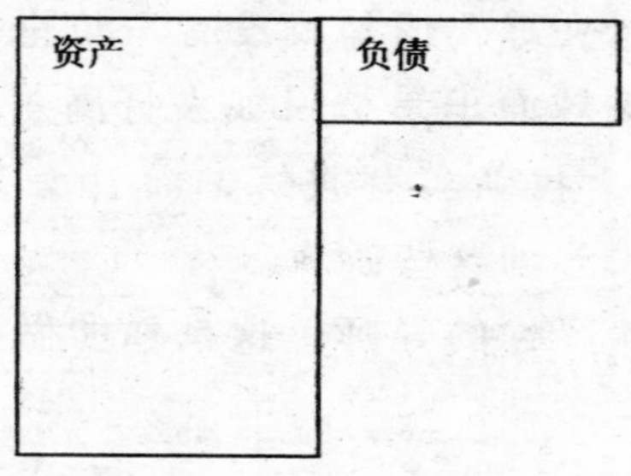

这就是我的富爸爸所说的、推迟回报（情商的一个标志）、关注你自己的企业、并首先建立你的资产项目。这些做法会帮助你避免诱惑、防止缺少财务知识和糟糕的财务示范的影响所引起的人类精神的堕落。

对于那些正在寻找自己的快车道的人，我只能提醒你小心每天你所接触的人。问问自己：他们是好的榜样吗？如果不是，我建议你有意识地寻找那些与你前进方向相同并位于你前面的人，花更多的时间与他们在一起。

如果你不能在工作时间里找到他们，那么你可以在投资俱乐部和其他的企业协会中发现他们。

寻找一位成功人士

聪明地选择你的导师，慎重决定从什么人那里得到建议。如果你想去某个地方，最好找一位已经去过那里的人。

例如，如果你决定明年去攀登珠穆朗玛峰，很明显你要征求某位以前已经登过这座山峰的人的意见。但是，对于攀登财务山峰，大多数人往往会征求某个也处在财务困境中的人的建议，这就是人们的悲哀所在。

寻找“B”和“I”做导师的困难在于大多数给出关于这两个象限和金钱问题的建议的人，事实上来自象限的“E”和“S”一边。

富爸爸一直鼓励我要有一位教练或导师。他经常说，“职业运动员有教练，业余爱好者没有教练。”

例如，我打高尔夫球，但是我没有一位全职教练，这可能是因为我付钱打高尔夫球而不是被付钱去打高尔夫球。然而，涉及到企业和投资游戏，我确实有教练，而且有几个教练。为什么呢？因为我被付钱去参加这些游戏。

因此，聪明地选择你的导师，这是你能做到的最重要的事情之一。

采取行动

1. 寻找导师——找出既在投资领域又在企业领域中有可能成为你的导师的人。

①找出榜样，向他们学习。

②找出反面的示范，向他们学习。

2. 你与之交往的人就是你的未来。

①写下6位你与其相处时间最多的人，你所有的孩子计作一人。记住限制条款是你为之花时间最多的人，而不是你们的关系类型。(先不要往下读，直到你写完这6个人的名字。)

大约15年前，我在一个学习班上，老师让我们做同样的事情，我写下了6个人的名字。

这时他让我们看我们写下的这些名字，并说，“你们在看你们的未来，你为之花得时间最长的这6个人就是你的未来。”

你为之花得时间最多的这6个人不一定是你的私人朋友，有些人可能是你的同事、配偶和孩子，或者是教堂或慈善机构的成员。我的名单由同事、企业合伙人和橄榄球队员构成。这个名单非常有提示性，我开始看到表面下隐藏的东西。我获得了对自己的认识，我喜欢什么和我不喜欢什么。

老师让我们在教室里走动，和其他人讨论我们的名单。过了一会儿，这个练习的意义更加明显了。我与其他人讨论我的名单越多，我倾听他们的谈论越多，我就越认识到我需要做哪些改变。这次练习和我与之交往的人没有多少关系，但它对我将去向何方和我将对我的生活做出什么决定有关。

15年以后，我为之花费时间最多的人除了一人外全都发生了改变。在我早些时候的名单上出现的那5个人仍然是我的好朋友，只是我们彼此很少见面。他们是很不错的人，并且对他们的生活感到满意。我的改变只与我有关，我想改变我的未来，想成功地改变我的未来，我必须改变我的思想，并且因此，改变我与之交往的人们。

②现在你已经列出6个人的名单，下一步是：

在每个人的名字后面列出他们所处的象限。

他们是“E”、“S”、“B”还是“I”呢？一个提示：象限反映了一个人的主要收入的来源。如果他们现在失业或者退休，列出他们过去挣钱时所在的象限。对于年轻的孩子和学生，不用填，请空出。

注：一个人可能有多于一种的职位。例如，我会在我的妻子的名字后面写上“B”和“I”，因为她的收入中，有一半来自“B”，另一半来自“I”。

因此，我把我妻子列在我的名单的第一位，因为她与我一起度过了几乎我们所有的时间。

姓名	象限
1. Kim Kiyosaki	B－I
2.	
3.	
4.	
5.	

③这一步是列出每个人所处的投资者等级。请参考第5章中投资者的7个等级。我太太是第6级投资者。如果你不知道一个人的投资者等级，请尽最大努力运用你的知识猜测。

标有象限和投资者等级的名单将是全面的。

名字	象限	投资者等级
1. Kim Kiyosaki	B－I	6
2.		
3.		
4.		
5.		
6.		

一些人生气了

从那些做这种练习的人身上，我看到复杂的感情。一些人生气了。我听到：“你怎么能让我给我身边的人分类呢？”因此，如果这种练习引起你任何情感上的不安，请接受我的道歉。这种练习的目的不是使人不安，这只是一个用来看清一个人的生活的练习。它对于一些人有用，但不是对每个人都有用。

15年前，当我做这种练习的时候，我认识到我很小心并有所隐藏。我对我所处的位置和用与我一同工作和生活的人作为我在生活中没有取得进步的借口感到不安。尤其有两个人，我经常与他们争吵，责备他们使公司倒退。我的日常工作是发现他们的错误，向他们指出错误，然后为我们公司存在的问题责怪他们。

完成这个练习后，我认识到，我总是与之争吵的那两个人对他们所处的位置很满意。我才是想要作出改变的人，但是，我所做的却不是改变自己，而是强迫他们改变。做完这个练习后，我认识到，我正在把我的个人期望强加给他人，我想让他们做我不想做的事情，我还认为他们应该需要这样的改变并且拥有和我一样的东西。这不是一种健康的关系。一旦我认识到发生了什么，我就能够采取步骤改变我自己。

④看一下现金流象限，把这些与你共度时光的人的名字缩写填在适合的象限中。

这时，把你的名字缩写填在你现在所处的象限中，然后把你的名字缩写填在你未来想要去的象限中。如果你与这6个人中的大部分人在同一个象限中，那么情况是你是一个幸福的人，你被思想相似的人所包围。如果他们不是，那么你也许该在生活中做些改变。

第十六章

第6步：将失望转化成力量

当事情不像你想像的那样进行时，你变成了什么样的人？

当我离开海军陆战队时，我的富爸爸建议我找一份推销的工作。他知道我很害羞，学习推销是世界上我最不想做的一件事情。

开始的两年中，我是公司里表现最差的推销员，甚至不能把生命保险卖给一个正要溺水的人。我的羞怯是令人痛苦的，不仅对我，而且令我试图推销东西给他们的顾客也同样痛苦。两年来，我不断地被公司试用和解除试用，这意味着我始终处在被解雇的边缘。

我通常把我的失败归罪于经济环境，或者我正在推销的产品，甚至顾客。富爸爸对此有另一种看法，他会说，“当人们懦弱时，他们喜欢责备。”

这就是说，由失望引起的情感上的痛苦是如此的强烈，以致于具有这种痛苦的人想通过责备把痛苦转嫁给别人。为了学会推销，我不得不面对失望的痛苦。在学习推销的过程中，我得到了一个非常宝贵的教训：把失望转化成资产而不是负债。

每当我遇到一些人，他们害怕“尝试”新东西时，我发现大多数情况下是因为他们害怕失望。他们害怕犯错误，或者是害怕被拒绝。如果你准备好开始寻找你自己的财务快车道，那么我将给你在我学习新事物时我的富爸爸给我的建议和鼓励：“准备好失望。”

他说这是一种积极的态度，而不是一种消极的态度。他的理由是，如果你准备好失望，你就有可能把失望变成资产。但大多数人把失望变成了负债——一项长期负债。当你听到人们说，“我再也不会做了”或者“我应该认识到我会失败”时，你就知道又产生了一项长期负债。

就像每个问题中都隐藏着机会一样，每次失望都蕴藏着无价的智慧结晶。

每当我听见人们说“我再不会做这类事”时，我知道我在听一个已经停止学习的人说话。他们让失望阻止了他们，失望已经变成竖在他们周围的一面墙，而不是可以使他们长高的基石。

我的富爸爸教我如何处理强烈的情感上的失望。富爸爸经常说：“世界上只有很少几位靠自我奋斗变富的人，这是因为只有很少的人能够忍受失望。大多数人不是学会面对失望，而是终其一生去逃避失望。”

他还说：“不要逃避失望，而要面对失望。失望是学习过程的一个重要部分。正如我们从自己的错误中学到东西一样，我们在失望中证实自己。”下面是他多年来给我的一些建议：

1. 期待失望　富爸爸经常说，“只有傻瓜才期望事情像他们想像的那样进行。期待失望不是意味着消极或者被击败，期待失望是在智力和情感上的准备，使你能面对意外的准备。通过在情感上做好准备，即使事情没有按照你希望的那样进行，你也能够平静而高贵的对待它；如果你保持平静，你就能更好地进行思考。

我遇到过很多有伟大企业设想的人，他们的兴奋能持续 1 个月左右，然后失望开始使他们精疲力竭。很快，他们的兴奋消失了，而你所能听到的全部话语就是“这是个好主意，但是它不起作用”。

不是这个想法不起作用，而是失望起的作用更大。他们让自己的急躁转化成失望，然后又让失望击败他们自己。很多情况下，这种急躁是因为他们没有收到即刻的财务回报引起的。企业主和投资者可能要等几年的时间才能看到他们的企业和投资产生现金流，但是凭借知识，他们知道成功需要时间。并且他们还清楚地知道，当获得成功时，财务回报将是非常可观的。

2. 有导师帮忙 在你的电话本的前面，列着医院、消防队和警察局的电话号码。我也有同样的电话号码记录，以备财务紧急情况发生，只不过那些是我的导师们的电话号码。

通常，在我进行一笔交易或风险投资之前，我会给我的一位朋友打电话，告诉他我想做什么和我的意图是想完成什么。当我发现自己不能解决某个问题时，这是经常发生的事，我就会寻求他们的帮助。

最近，我试图购买一项大额不动产。卖主很难对付，在谈判临近结束时又更改了条件。他知道我想得到这份资产，因此他试图在最后时刻尽他最大的努力从我这里得到更多的钱。由于生性急躁，我的情绪失去了控制。但我没像通常那样，大喊大叫地取消交易，而是简单地问我是否能用一下电话找我的合伙人。

在和三位支持我的朋友交谈并得到他们关于如何处理这种局势的建议后，我冷静下来，我学会了三种以前我不知道的办法。这笔交易最终没有做成，但是今天我仍然在使用这三种技巧，如果我不参加这次交易，我将永远也学不到这些技巧。知识是无价的。

关键是，我们事先不可能知道每一件事情，我们经常是在需要学习时才进行学习。因此我建议你们尝试新事物，并期待失望，但始终要有一位导师在你身边用经验指导你。很多人从来不启动他们的计划，只是因为他们没有找到全部的答案。你永远不会有全部的答案，但是无论如何你要开始。就像我的朋友坎宁安一直说的那样："很多人要等到所有的灯都变绿时才会开车前进，因此他们哪儿也去不了。"

3. 善待你自己 对于犯错误、失望或者在某件事上的失败来说，最痛苦的一件事不是别人怎样评价你，而是我们自己的态度。大多数人在犯错误时，他们的自责通常远远大于别人对他们的攻击，他们应该为滥用个人情感而到警察局自首。

我发现，那些在智力和情感上对自己很苛刻的人在承担风险、接受新思想、尝试新东西时，通常过分谨慎。如果你总为你个人的失望惩罚自己或者责备别人，那么你就很难学到任何新东西。

4. 讲述事实　我小时候受到的一次最严厉的惩罚是，一天我意外地打掉了我妹妹的一颗门牙，她跑回家向爸爸告状，我跑出去藏了起来。在我爸爸找到我后，他非常生气。

他训斥我说："我惩罚你并不是因为你打掉了你妹妹的门牙，而是因为你逃跑。"

在财务方面，有许多次我都想从我的错误中逃跑。逃跑是件很容易做的事情，但是我爸爸的话一直跟随我多年。

简而言之，我们都犯错误。当事情没有按照我们的方式进行时，我们都会感到不安和失望。然而，不同之处在于我们在内心里如何处理这种失望。富爸爸这样总结："成功的大小是用渴望的强烈程度、梦想的大小以及处理失望的方式来衡量的。"

在未来的几年中，我们将经历一些金融变动，这将检验我们的勇气。那些在大多数情况下能控制他们的情感，不让情感阻碍他们，并能够学习新的财务技能的感情成熟的人，将会在未来的日子里获得成功。

就像鲍勃·戴伦唱的那样，"时代正在改变"。

未来属于那些能随时代改变而改变、并用个人的失望做为砖石修筑未来的人们。

采取行动

1. 犯错误。我建议你从最初级的步骤开始。记住：失败是成功的一部分。"E"和"S"被告知犯错误是不可接受的，"B"和

"I"知道犯错误是他们学习的一种方式。

2. 投一点儿钱进去，小规模地开始。如果你想参与一个投资，那么就投一点儿钱进去。你会惊奇地发现，当你的钱用在投资上时，你的智力增长得是多么地快。不要用你的农场、你的抵押贷款支付，或者用你孩子的大学教育经费做赌注。只要投入一点儿钱进去，然后关注它并开始学习。

3. 采取行动这一步的关键就是采取行动！

阅读、观察和倾听对于你的教育是至关重要的，但是你还必须开始"做"。例如，在能产生正现金流的小额不动产上投资，在调查公司之后对某些股票进行投资。

如果需要，请向你的导师、财务或税收顾问征求建议，但要如耐克广告词所说的，"只要去做就好"！

第十七章

第7步：信心的力量

你最恐惧的是什么？

在我上高中的时候，有一次富爸爸的儿子和我被叫到一群学生的前面，这些学生主要由班里的优秀学生组成。我们的指导老师对我们说：“你们两个将一事无成。”

当指导老师继续说着时，我们听到一些好学生在窃笑。“从现在起，我不会再在你们两个身上浪费时间了，我只会把时间花在这些好学生身上。你们两个是班里成绩最差的小丑，你们将一事无成。现在请你们出去。”

最大的恩惠

这位老师给了迈克和我最大的恩惠，虽然她的话在很多方面深深地伤害了我们，但是她的话也激励我们更加努力地拼博。她的话促使我们完成了大学学业并建立了我们自己的企业。

高中聚会

几年前，迈克和我回到学校参加我们的高中聚会，这是一件很有趣的事情。我们很高兴见到那些与我们共同度过三年时光的同学，在那三年里，没有人真正知道我们是谁。同时，看到那些当年的班级优等生们大多数在高中毕业后的多年里没有获得成功，我们感到很遗憾。

我讲这个故事是因为迈克和我不是学习成绩优异的孩子。我们既不是金融天才，也不是体育明星，更不是班里的学生干部，而是中下等学生，我甚至认为，我们不像我们的父亲那样有天赋。然而，正是我们的指导老师那尖刻的话语和同班同学的窃笑刺激我们刻苦学习，从我们的错误中学习，并且在好时期和坏时期都保持前进。

因为你在学校里表现得不好、不受欢迎、数学不好、富有或穷困等，使你显得不如别人时，应记住：没有一个缺点会在长期中起作用，这些所谓的缺点只是在你认为它们起作用的时候才发生作用。

对于那些正考虑进入财务快车道的人来说，有时可能会怀疑自己的能力。我能说的就是，相信你已拥有了现在去实现财务成功所需要的每一件东西。能够发挥上帝给予你的天赋的东西就是你的欲望、决心和相信自己拥有独一无二的天赋和才能的坚定信念。

照镜子和听谈话

镜子反射回来的不只是一个视觉上的影子，镜子通常还反射出我们的思想。我们如此频繁地看到人们照着镜子，说着这样的话：

“噢，我看起来很糟糕。”

“我有那么重吗?”

“我真的变老了。”

或者：

“哎呀！我长得真漂亮！我是上帝赐给女人的礼物。”

思想是一种反射

就像我前面说的那样，镜子反射回来的不仅是我们眼睛所看到的东西，还反射出我们的思想，我们自己对自己的看法。这些思想或看法比我们的外表重要得多。

我们都遇到过外表很漂亮的人，但是在内心里却认为他们很丑陋，或者被别人深爱的人却不喜欢他们自己。我们最深邃的思想通常是我们灵魂的反映。思想就是我们对自己的爱、对自己的厌恶、对待自己的方式以及对自己的总体看法的一种反映。

钱不会和不信任自己的人呆在一起

在情绪高涨时，人们通常会说出真心话。

在向一个班级或者个人解释完现金流象限后，我给他们一段时间让他们考虑下一步该做什么。首先，他们确定出他们正位于哪个象限，这很容易，因为这是他们的大部分收入所出自的象限。其次，我问他们，如果他们需要变动，他们想去哪个象限。

这时他们看着现金流象限并做出选择。

一些人边看边说："我很满意我的位置。"

另一些人说："我对我的位置不满意，但是我现在不想改变或者移动。"

还有一些人对自己的位置不满意，并知道需要立即做些事情，处在这种情况下的人通常会最清楚地说出他们的真心话。

他们说出他们对自己的看法，说出反映他们灵魂的话语。因此我说，人在情绪高涨时说出自己的真心话。

在这个时候，我经常听到的真话有：

"我不能那样做，我不能离开'S'进入'B'。你疯了吗？我有妻子还有三个孩子要抚养。"

"我不能那样做。我不能等上5年才能拿到我的另一份工资。"

"投资？你想让我赔掉我所有的钱是不是？"

"我没钱投资。"

"在我行动之前，我需要更多的信息。"

"我以前尝试过但是没有用。"

"我不需要知道如何读财务报表，我能应付。"

"我不用担心，我还年轻。"

"我不够聪明。"

"如果我能找到合适的人和我一起干，我愿意做。"

"我丈夫不会喜欢的。"

"我妻子永远不会理解。"

"我的朋友们会怎么说？"

"如果我再年轻些，我会这样做。"

"这对我来说已经太晚了。"

"这不值得。"

所有的话语都是镜子

每个人的真心话在情绪高涨时被说出。所有的话都是镜子，因为这些话反射出人们对自己的某些看法，虽然他们可能是在谈论别人。

我最好的建议

对于那些准备从一个象限移到另一个象限的人们，我所能够给你们的最重要的建议是要做到非常清楚你所说的话，尤其是要清楚那些发自你的内心、你的肺腑和你的灵魂的话语。如果你想做出改变，你就必须了解由你的情感所产生的思想和话语。如果你不知道你的情感何时进行思考，那么你就不能完成这个转变过程，你将阻碍你自己，即使你是在说别人。比如你说“我爱人不会理解”，情况也是如此。你实际上说的是你自己，你只是用你的爱人作为借口推托你的不行动，或者你实际上可能是在说：“我没有勇气或沟通技能把这些新想法告诉她。”所有的话都是镜子，使你有机会看到你的灵魂。

或者你会说：

“我不能停止工作去开办我自己的企业，我有抵押贷款和家庭需要考虑。”

你也许在说：

“我累了，我不想再做任何事。”

或者：

“我的确不想再学习任何东西。”

这些才是你的真心话。

个人的真心话也是个人的谎话

这些是真话，也是谎话。如果你对你自己说谎，我会说这个过程永远也不会完成。因此我最好的建议是倾听你的疑虑、恐惧和被禁锢的思想，然后进一步挖掘出内心更深处的真话。

比如说，“我累了，我不想学习新东西”可能是真话，但是也许这是谎话。真正的真话可能是：“如果我不学习新东西，我将会更累。”或者是，“事实是我喜欢学习新东西，我愿意学习新东西，并再次为生活感到兴奋，或许整个新世界都将为我打开。”

一旦你能说出更深层的真话，你就会发现在你身上有一种力量，它足够强大，能够帮助你改变。

我们的路程

我妻子和我要想前进，首先必须愿意接受我们对自己的评价和批评。我们必须愿意接受使我们渺小，但不会阻止我们前进的个人思想。偶尔，压力会达到极点，我们的自我批评会爆发，我会因为自我怀疑而责备她，而她也会因她的自我怀疑而怪罪我。然而，在我们开始这个路程之前，我们俩都已经知道，我们必须面对的惟一的事情仍旧是我们自己的个人怀疑、批评和无能。作为这次旅程中的丈夫和妻子、商业伙伴和精神伴侣，我们真正的工作是不断地彼此提醒：我们每个人都比我们的个人怀疑、狭隘和无能更强大。在这个过程中，我们学会更加信任自己。我们的最终目标不光是变得富裕，而且要学会不仅信任钱，更要信任自己。

记住，惟一能决定对你的看法的人就是你自己。因此，这次旅程的收获不仅是金钱给你带来的自由，而且是你对自己的信任带给你的自由，因为它们是同一件事。我给你的最好建议是每天准备去做比你的渺小更伟大的事情。我认为，大多数人停下来并从他们的梦想中逃回来，是因为我们身体内的渺小者击败了那个更伟大的自我。

虽然你不可能擅长每一件事情，但是花时间发展你需要掌握的技能，你的世界将会迅速改变。永远不要逃避你需要去学习的东西，直面恐惧和怀疑，新的世界将会为你敞开。

第十八章
总　结

这就是我妻子和我在短短几年里，从无家可归变为财务自由者所使用的7个步骤。这7个步骤帮助我们找到我们自己的财务快车道，而且我们今天还在使用这7个步骤。我相信，这些步骤能够帮助你设计出你通往财务自由的路径。

要做到这一点，我建议你必须对自己真诚。如果你现在还不是一位长期投资者，那么请你尽快使自己成为一位长期投资者。这意味着什么？坐下来，制定出一个计划，控制你的消费习惯，最小化你的债务和负债，量入为出并增加你的收入。查明每月你的投资是多少；按实际回报率计算，投资几个月后可实现你的目标。这些目标有：你计划在多少岁时停止工作？你每月将需要多少钱能达到你渴望的生活标准？

制定长期计划可以减少你的消费信贷，而定期存一小部分钱将会给你一个良好的开端，只要你尽早开始，并时刻监督你的行为。

这时，让一切简单化，别要花招。

我向你介绍现金流象限、投资者的7个等级和我划分的投资者的三种类型，其原因是要使你看到你是谁，你的利益是多少，以及你最终想成为谁。我愿意相信，任何人都能找到他们自己的通往财务快车道的路径，无论他们来自哪个象限。然而，路终究是要靠你自己去找到。

记住我在以前的一章中所说的话："你老板的工作是给你工作，你的工作是使你自己变富。"

你打算停止运水并开始建立现金流管道，以便维持你、你的家庭和你的生活方式吗？

关注你自己的事业可能很困难，并且有时令人困惑，尤其是在刚开始时。无论你知道多少，都有更多东西需要学习，这是一个终生的过程。但是可喜的是，这个过程最艰难的部分是在开始时。一旦你做出决定，生活事实上已经开始变得越来越容易。关注你的事业并不难，这只是常识而已。

世图财商系列之“富爸爸”丛书简介

《富爸爸，穷爸爸》是一个真实的故事，作者罗伯特·清崎的亲生父亲和朋友的父亲对金钱的看法截然不同，这使他对认识金钱产生了兴趣，最终他接受了朋友的父亲的建议，也就是书中所说的“富爸爸”的观念，即不要做金钱的奴隶，要让金钱为我们工作，并由此成为一名极富传奇色彩的成功的投资家。

《富爸爸财务自由之路》是《富爸爸，穷爸爸》的续篇。本书将所有的人分为四类：1. 雇员；2. 自由职业者；3. 公司所有者；4. 投资人。本书分析了这四类人各自的价值，并为人们指明了通往财务自由的道路。

《现金流》（成人版）是罗伯特·清崎发明的一套寓教于乐的教育游戏，人们可以从充满乐趣的游戏中学习到有关会计、财务、投资等方面的知识，从而启发你的财商，并从中体味到生活的酸甜苦辣。该游戏可供2～6人一同游戏，适合12岁以上人士使用。

《现金流》（儿童版）是罗伯特·清崎专为6～12岁儿童设计的教育游戏，儿童可以从快乐的游戏中学习简单的会计知识，了解“收入”、“支出”、“资产”和“负债”的概念及其关系，从小培养孩子的财务智商，帮助他们及早地做好进入现实世界，迎接人生挑战的准备。

欢迎访问"富爸爸"网站：

www.richdad.com

- 有关"富爸爸"系列产品的介绍；
- 解答读者及游戏玩家关于图书及游戏的常见问题；
- 有关 Cashflow Technologies Inc. 的情况。举办的各种与"富爸爸"相关的活动及对罗伯特·清琦访谈实况。

本系列英文版由 CASHFLOW® Technologies, Inc. 出版：

CASHFLOW® Technologies, Inc.
4330 N. Civic Center
Scottsdale, Arizona 85251, USA
(480) 998-6971 or (800) 317-3905
Fax: (480) 348-1349
E-Mail: Moreinfo@richdad.com

有关中文版系列产品，请致函：

世界图书出版公司北京公司
地址：北京朝内大街 137 号
邮编：100010
电话：(010) 64038350
传真：(010) 64077944
电子信箱：bjwpc@public3.bta.net.cn

新世纪开启[illegible]的财务智商